The Standard of Living

生活の豊かさをどう捉えるか

アマルティア・セン
ジョン・ミュールバウアー
ラヴィ・カンブール
キース・ハート
バーナード・ウィリアムズ
［著］

ジェフリー・ホーソン［編］

玉手 慎太郎／児島 博紀［訳］

生活水準をめぐる経済学と哲学の対話

晃洋書房

Tanner Lectures in Human Values

——THE STANDARD OF LIVING——

by

Amartya Sen

訳者まえがき

本書はAmartya Sen, John Muellbauer, Ravi Kanbur, Keith Hart and Bernard Williams, *The Standard of Living*, edited by Geoffrey Hawthorn, Cambridge University Press, 1987. の全訳である。この本のもとになっているのは、人文学においてもっとも権威ある招待講義の一つとされている「タナー・レクチャー」であり、本書はアマルティア・センによる二つのレクチャーに加え、四名の討論者からのコメント、およびセンからのリプライによって構成されている(*)。

本書に収められているのは、センが一九八五年にケンブリッジ大学で行ったタナー・レクチャーの内容であるが、センがタナー・レクチャーを行ったのはこの時が二回目である。最初のタナー・レクチャーは「何の平等か？（Equalituy of What?）」と題され、一九七九年にスタンフォード大学で行われた。その原稿は（序論でも言及されている）タナー・レクチャー論文集に収録されたのち、センの一九八二年の論文集 *Choice, Welfare and Measurement* に再録されている。この論文集には翻訳（抄訳）があり、「何の平等か？」はその全文を日本語で読むことができる（大庭健・川本隆史訳『合理的な愚か者：経済学＝倫理学的探究』勁草書房、一九八九年所収）。

「何の平等か？」はセンの数多くの学問的貢献の中でも、一つの決定的な論文として位置付けられていると言って良いだろう。というのも、この論文においてセンの重要な理論的主張の一つであるケイパビリティ・アプローチの考え方が初めて提示されたからである。これに続き、一九八〇年代のセンはケイパビリティ・アプローチを積極的に展開・深化させていったのであり、そんな中で行われた彼の二回目のタナー・レクチャーは、ケイパビリティについての彼の研究のさらなる進展を示すものと位置付けられるだろう。ただし、「生活水準」というテーマを掲げた二回目のタナー・レクチャーは、ケイパビリティ・アプローチそのものについて論じるものではない。むしろ、なぜケイパビリティ・アプローチが必要なのかという、その背景の明確化が主題とされている。センのケイパビリティ・アプローチについて論じた論文・著作は、本人の手によるものはもちろん研究書・研究論文のレベルまですでに様々なものがあるが、ケイパビリティ・アプローチのそもそもの問題関心、およびそれに取り組む上でのセン自身の態度が明確に論じられている（そして討論者によってそれに対する疑問点も指摘されている）点に、本書の独自性があると言えよう。

本書の読み方について、訳者から一つ提案をさせていただきたい。最初の「序論」は飛ばして、センのレクチャーから読んでいただくことをお勧めする。というのもジェフリー・ホーソンによる序論は、本書全体の内容をふまえて包括的に、それも議論をまとめるというよりもむしろさらに論点を深めるよう発展的に書かれたものであり、先にセンのレクチャーおよびそれに続くコメントを読まなければ、おそらくは理解が難しいからである。

それゆえ、最初にセンのレクチャーから読み、その内容がおおよそのところでも把握できた場合には、次に関心のある論者のコメントを読まれるのが良いだろう。ジョン・ミュールバウアー（応用経済学）、ラヴィ・カンブール（開発経済学）、キース・ハート（経済人類学）、バーナード・ウィリアムズ（哲学）という、それぞれに専門も関心も異なる四人からのコメントは、どのような順番で読んでも問題ない。それらのコメントに続いて、それぞれに対するセンからの応答および再批判であるところの「リプライ」に進んでいただきたい。そこまで読んだ上で、序論には最後に取り掛かるのが望ましいと思われる。

とはいえ、最初にレクチャーを読んだ時点で、センが何の話をしているのかがいまひとつ掴みづらいと感じられる方も少なからず出てくるのではないかと予想される。というのも、このレクチャーでセンは、前提知識の部分をかなり省略して論じているからである。その場合には、レクチャーの次、コメントへと進む前に、本書末尾に付した「訳者解説」に進んでいただければと考えている。この解説では、レクチャーの中で何が論点になっているのかについて簡単な道案内をしたつもりである。

経済学と哲学の両方について独自の見解を示すセンのレクチャーに、専門分野も様々な四人の論者がコメントを加えるという構成上、各論者の間での問題関心の微妙な（時には決定的な）違いが、本書の全体に深く入り込んでいる。それゆえに、読んでいる途中で議論の主題や筋を追えなくなってしまう可能性は低くないと思われる。しかしそのような一種のまとまりのなさは、「生活水準」という概念をテーマに選んだがゆえの必然、あるいは宿命であるとも言えるだろう。生活水準とは、言い換えれば人間がどのように生きているかという問題であり、純粋に経済学上の問題でもなければ純粋に哲学上の問題でもないからである。そのような問題に真摯に向き合う上では、互いの視点の相違がありつつも、なお議論を通じて力を合わせ、理解を深めていくしかない。その意味で、本書には決して耳あたりのいいお題目ではない、真の「学際的議論」の難しさと実り豊かさが込められていると、訳者二人は考えている。

巻末に付録としてセンの邦訳書の一覧を付した。これは原著にはなく、訳者（玉手）が読者の便宜のために追加したものである。すでにある程度センについて学ばれている方はもちろん、本書がセンを読む最初の機会だという方にも、センの思索の全体を俯瞰する上で役立てていただけたら幸いである。

翻訳にあたっては、センのレクチャー、ミュールバウアーのコメント、およびセンによるリプライを玉手が、その他三名のコメントおよび序論を児島が訳出し、相互に（かなり入念な）確認と修正を加えた。したがって、文章に対する責任は両名が負うものである。

玉手慎太郎
児島博紀

（＊）本書と同様にタナー・レクチャーを基にした書籍は多数ある。参考までに、日本語に翻訳されているものを、訳者が確認できた範囲で列挙したい。

ミシェル・フーコー「全体的なものと個的なもの――政治的理性批判に向けて」小林康夫・石田英敬・松浦寿輝（編）『フーコー・コレクション6：生政治・統治』筑摩書房（ちくま学芸文庫）、二〇〇六年所収。【一九七九年のレクチャーの記録である】

マイケル・ウォルツァー『解釈としての社会批判』大川正彦・川本隆史（訳）、筑摩書房（ちくま学芸文庫）、二〇一四年。【一九八五年のレクチャーに基づいている】

マイケル・ウォルツァー「民族と普遍的世界」デイヴィッド・ミラー（編）、萩原能久・齋藤純一（監訳）『政治的に考える：マイケル・ウォルツァー論集』風行社、二〇一二年所収。【一九八八年のレクチャーの記録である】

クリスティーン・コースガード『義務とアイデンティティの倫理学：規範性の源泉』寺田俊郎・三谷尚澄・後藤正英・竹山重光（訳）、岩波書店、二〇〇五年。【一九九二年のレクチャーに基づいており、本書同様にコメンテイターの論考も収録されている】

マイケル・サンデル『それをお金で買いますか』鬼澤忍（訳）、早川書房（ハヤカワ文庫）、二〇一四年。【一九九八年のレクチャーに基づいている】

アクセル・ホネット『物象化：承認論からのアプローチ』辰巳伸知・宮本真也（訳）、法政大学出版局、二〇一一年。【二〇〇五年のレクチャーに基づいている】

目次

凡　例

・本書は Amartya Sen, John Muellbauer, Ravi Kanbur, Keith Hart and Bernard Williams, *The Standard of Living*, edited by Geoffrey Hawthorn, Cambridge University Press, 1987. の全訳である。
・原注は丸括弧（　）付きの番号、訳注は角括弧［　］付の番号で表記し、章ごとに章末にまとめた。
・原文イタリックのうち、強調を示している箇所は傍点を付し、書名を示している箇所は『　』を付した。ラテン語由来の慣用句の場合（*ex ante* 等）は煩瑣であるため特に処理せず、初出時に原語を補うにとどめた。
・本文の（　）は原則としてそのまま訳出した。ただし読みやすさのために、訳者が（　）を追加ないし削除している場合もある。「――」の処理についても同様である。〔　〕内は訳者による補足である。
・日本語として読みやすいよう、原文では一つの文となっているものを二文以上に分けて訳出した場合がある。段落分けは原文の通りである。
・引用文については、既訳のあるものは原則としてそれを参照しつつ、文脈に合わせて適宜変更を加えて訳出した。
・読者の便宜のために、訳者の判断で適宜、訳語の直後に（　）で原語を付している。
・誤植と判断されたものは訂正して訳出し、軽微でない訂正については訳注にてそのことを示した。
・原著の索引は人名と事項が区別されていないが、本書では人名索引と事項索引に分けて独自に作成した。

序論

タナー・レクチャーは、現在ユタ大学名誉教授〔哲学〕のオバート・クラーク・タナーの[1]発案によるものである。〔この講義を主催するタナー財団の〕理事たちの言葉にあるように、「人間の価値と評価に関連する学術と科学の学びを進展させ、また省察すること」がこのレクチャーの目的とするところである。一九七八年七月一日にケンブリッジ大学クレア・ホールで正式に設立され、毎年、ハーバード大学、ミシガン大学、スタンフォード大学、ユタ大学、オックスフォード大学ブレーズノーズ・カレッジ、および〔前述の〕クレア・ホールで開催されている。また時には、ほかの場所で開催されることもある。[2]

タナー・レクチャーの特色の一つは出版される点にある。スターリング・マクマリンの編集で『人間の価値についてのタナー・レクチャー』と題された論文集が、ユタ大学出版局とケンブリッジ大学出版局から出版されている。ケンブリッジ大学でアマルティア・センが行った二つのレクチャーの短縮版は、一九八五年に別の場所で行われたレクチャーとともに、第七巻〔McMurrin 1986〕に収録されている。〔しかしそこで話は終わらず、〕クレア・ホールの評議員たちは、レクチャーを完全な形で、また、レクチャーに続いて行われたセミナーのコメントの一部を含めて出版することで、彼ら自身がその責任者であるところのそれらのレクチャーの目的がより促進されるだろうとの結論を下した。タナー財団の理事たちとケンブリッジ大学出版局の特別評議員たちはこれに同意し、本巻はその最初の成果である。

「生活水準（standard of living）」以上に、オバート・タナーが企図したことに直接取り組んだテーマはない。つねにこの言葉が用いられるわけではないにしても、生活水準は、政府が真っ先に考慮する事柄の一つとなっている。つまり、生活水準を維持し改善することは、統治される人々の主要な期待の一つとなったのである。実際、以下のような状況において、生活水準は、国家の安全保障および防衛とともに、政治の二大目標の一つとなったと言っても過言ではないだろう。その状況とは、ほぼすべての場所におけるデモクラシーの拡大、あるいは少なくとも、ほぼすべての場所におけるデモクラシーへの希求、また、近代国家およびこうした国家がおおよそ熟慮の上で取り仕切る経済に対する期待〔の拡大〕、そして一九五〇年代以来の、発展途上国が抱える様々な窮状に対する関心の高まり、という状況である。しかし、生活水準についてどのように考えればよいのかについての理解の進展の各々には、さらなる困惑と疑念とが伴うようになっている。それは、生活水準が結果としてこれほどまでに極めて緊迫した問題となっているからであり、また生活水準が正確には何であるのかを定めることの困難さのためであり、そして、そうした問いに解答するための技術的な複雑さの増大のためである。これらの理由のどれもが、それ自体で近代社会の複雑性、近代国家の力が及ぶ範囲、そして公共政策における経済学の影響力の拡大に関連している。そうした事柄には往々にしてあるように、より広く知られているように思われるほどに、またより多くが語られ、より多く実際に試みられるほどに、最も密接に携わっている人々を含む多くの人々が、十分な理解をしていないように思われてくる。〔しかし〕アマルティア・センは例外である。センは、現代経済の変化に精通しているのと同じくらい、自分の主題に関する歴史的な研究課題にも精通している。また、経済分析の技法を専門とし、かつその革新者であるのと同じくらい、経済分析の道徳的・政治的含意に敏感でもある。センはそれゆえ、ほとんど比類なきまでに、「生活水準」に生じる多種多様な問題を把握し、結びつけ、伝えることができるのである。

センが述べるように、「生活水準の価値は生活の中に見出される」〔本訳書五一頁〕。これの意味するところが、いくぶん広く行き渡っている学問的流行に抗して、漠然と正しくあることを支持し、厳密なやり方で間違っていることは拒否せねばならないということなのであれば〔本訳書六二―六三頁〕、それはそれでよい。しかしこれは、陽気に――あるいは、経済学者およびその行いについての有名な見方にあるように、陰鬱にさえ[3]――ルーズでいてよいと言っているわけではない。生活することそれ自体の多くと同様、「生活水準」に含まれることの多くには、実証的な正確さの余地をそれほど見出せないかもしれない。また、たとえそれを見出すことができたとしても、そのような正確さは、政府の中の人々――気まぐれにのみ支配するといった調子で、切れ味の悪い道具でもって振る舞う人々――にとっては大抵の場合ほとんど重要でないだろう。しかしながら、概念的な正確さは〔実証的な正確さとは〕極めて異なる事柄であり、また、この生活水準という問題においては、社会科学者にとってと同じくらい、市民にとっても重要である。それこそが、センの主要な関心なのである。センは第一のレクチャーで、効用、所得および財産、あるいは「富（opulence）」といった観点に立つ、生活水準に対する従来のアプローチを批判する。第二のレクチャーでは、人間の「機能（functionings）」と「ケイパビリティ（capabilities）」の観点から生活水準について考えることを主張する。センは両方のレクチャーにおいて、その議論がいくつかの散漫な目標を整頓することをはるかに超える内容を持つことを示している。その要点を提示してくれる三つの問題がある。第一の問題は、センが本書で通り過ぎるようにしか言及していない論点である。第二の問題は、本書の最後に至ってもなお開かれたままである。第三の問題は、本書全体を通じてそれとなく示されるにとどまっている。

第一の問題は、生活水準を定義することと説明することの間の、一見単純な区別に気づかないことに由来する不明瞭さである。その生じやすさ、およびその結果として生じうる混乱は、何であれ現実の生活水準を対象としたものの中でおそらくは今なお最も長く続いた学問的論争である、およそ一七五〇年から一八五〇年の産業革命の日々のイングランドの生活水準についてなされた論争の中に、はっきりと現れている。〔ロナルド・マックス・〕ハートウェルと〔スタンリー・〕エンガーマンは、この論争における「悲観主義の理論的基礎」について述べた論文において、三つの異なる問いを区別している（Hartwell and Engerman 1975: 193–194）[1]。〔第一の問いとして〕労働者階級の生活水準は、この期間に上昇したのか否か。むしろ下降したのか。〔第二の問いとして〕この階級は、仮に産業化がまったくなかったとしたら、暮らし向きがもっとよくなっていたのだろうか。そして〔第三の問いとして〕、もし産業化が起こりつつもそれが実際とは異なる道筋をたどったならば、彼らの暮らし向きはもっとよくなっていたのだろうか。

〔ニック・〕フォン・チュンゼルマンが述べるように、ハートウェルとエンガーマンは、このようにして問題にいくらか明晰さをもたらしたものの、彼ら自身がすぐに問題を混同し始めてしまっている。「悲観主義者」とは、〔第一の問いに関して〕労働者階級の生活水準が下降したと信じる人々であり、かつ、第二の問い――産業化がまったくなかったならば、この階級は暮らし向きがもっとよくなっていたかという問い――への解答が「イエス」だと考える人々だと彼らは想定しているのだ（von Tunzelmenn 1985）[4]。そもそも、三つの問いのそれぞれに「イエス」ないし「ノー」と解答し、かつ整合的であることは完全に可能である。たとえ生活水準が実際に上がったと考えたとしても、それは産業化なしでも、あるいは産業化が異なる道筋をたどったならば、むしろより迅速に上がっただろうとも考えるかもしれない。逆に、生活水準は下がったのだが、もし産業化が起こらなかったならばさらにいっそう下がっていただろう、と考えることも完全に可能である（ほとんどの経済史家は現在、実質賃金が一八二〇年頃まではそれなりに一定しており、その後上昇したことについては少なくとも合意しているように思われる）。完全にノスタルジックな者、チェスタトン主義者やベロック主義者、[5] その他この問題を一度も真剣に考えたことのない人々を別にすれば、実際のところ悲観主義者は三つのはっきりしたグループへと分かれる。一つは、E・P・トムスンと同様に、水準が実際に下降したと考える人々からなるグループである。そのような人々はまた、資本の所有権とその支配が異なる手に握られていたならば、つまり、産業化がこの点において（あるいは――もし不明瞭であれば――何かしらの同様の点において）より「社会主義的」であったならば、産業化によっていっそうの便益がもたらされただろうと考える。第二のグループは、ハモンド夫妻[6]のように論じる人々である。ハモンド夫妻は、生活水準それ自体がたどった道筋についてはより不可知論的な立場をとるが、もし政府が囲い込みの帰結を和らげ、未熟練労働者への最低賃金を定め、また、彼らが力を合わせることができるよう、熟練労働者には適正賃金を与えたならば、産業化はよりいっそうの便益をもたらしていただろうと考える。第三のグループは、フォン・チュンゼルマン自身を含む。彼は、もし産業化がそれほど資本集約的なものでなかったならば、よりいっそう便益をもたらし、またよりいっそうの成長をもたらしていただろうと論じるのである。

しかし、ハートウェルとエンガーマンがそうみなすように、いく人かの悲観主義者は反事実的な問いを事実的な問いから区別し損ねることで、彼らの主張を曖昧なものにしてしまった。反事実的な問いとは、〔仮に産業化がなかったならば〕生活水準がより上昇しえたのか、また、より速く上昇しえたのかという問いであり、事実的な問いとは、結局のところ生活水準は上昇したのかという問いである。センが本書において、キース・ハートに対するリプライの中で明らかにしたように、これらの問いはまったく異なるだけでなく、反事実的な問いに――たとえば、労働の生産性がより高くなり得たのだと示すことで――「イエス」と解答することが、より事実的な問いに〔実際に生産性がより高まったのだという〕同様の解答をすることには必ずしもならないと考えることにもまた十分な根拠がある。そうした点に対する積極的な解答は、「総供給量の分配、および人々にこれこれのことをしたりあれそれのようであったりすることを可能にする、商品の利用〔の仕方〕に」〔本訳書一七七頁〕左右されるだろう。より純粋に事実的な問いに対する近年の貢献は、この論点を取り上げており、また、次のことを示唆している。すなわち、考えようによっては根拠がなく、たしかに信頼性を欠いており、解釈も困難な所得推計を見る代わりに、身長の動向を見ることができるというのである（Floud and Wachter 1982; Floud 1984）。これによって、より正確に商品の分配が把握され、さらには、諸々の商品が有する影響のうちの一つが焦点化される点において、センのいう「機能」、ひいては「ケイパビリティ」が示唆される。

〔生活水準の〕概念的な正確さおよびセン自身が提示する区別の必要性を擁護する際の第二の問題は、生活水準の「相対性」としてしばしば言及されてきたものに関するものである。この問題は、貧困についての論争においてはっきりと、しかもしばしば極めて感情的に姿を現す。センは、第一のレクチャーの末尾で参照する論文（Sen 1983a）、および〔ピーター・〕タウンゼントによるその論文の批判への応答において（Townsend 1985; Sen 1985c: 161）、自らの見方を次のように要約している。貧困は――また言外の含みとして、より一般的には生活水準は――「ケイパビリティの空間では絶対的概念であるが、商品ないし特性の空間では、極めて頻繁に相対的形式をとるだろう」、と。すなわち、たとえばアダム・スミスが述べた、恥ずかしい思いをすることなく人前に出ることができるというケイパビリティのように、絶対的であるようないくつかのケイパビリティが存在する。そうしたケイパビリティが仮にも望ましいものであるならば、それは全員にとって望ましいのである。そうしたケイパビリティを実現するために必要なのは資源や商品であり、ケイパビリティそれ自体ではない。必要とされる資源や商品は、時間を通じて、あるいは場所によって変わってくるだろう。スミス自身が述べたように、一八世紀末のグラスゴーでは、リネンのシャツなしに人前に出れば恥ずかしい思いをすることが避けられなかっただろう。最近の調査である回答者が述べたそうだが、二〇世紀末のロンドンでは、自分の子どもたちにごちそうを約束してあげられなければ、恥ずかしい思いをすることが避けられないだろう。(2)

〔生活水準とケイパビリティに関する〕多くのことは明快であり、またおそらく、受け入れることのできるものである。〔しかし、〕バーナード・ウィリアムズが説明するような以下の問いは開かれたままであり、明らかに困難で、おそらく不確定であるものの確実に重大である。すなわち、恥ずかしい思いをせずに人前に出るといった事柄は、自尊へのケイパビリティのような、「何らかのさらにいっそう基礎的なケイパビリティから派生するのだろう」〔本訳書一六七頁〕かという問い、そうした基礎的ケイパビリティを権利のようなものと考えることが有益でありうるかという問い、また、おそらくより根本的な問いとして、そうしたケイパビリティ――おそらく「絶対的な」ケイパビリティ――を定義できるのならば、その絶対性は自然と慣習のどちらによるものなのかという問いである。この困難は一般的にいって馴染み深いものであるが、センは本書のレクチャーにおいて、またウィリアムズは本書や他の著作において（たとえば、Williams 1985: 152-155、邦訳 二九八―三〇三頁）、ともに極めて明確にこの困難を提示してきた。〔この困難に対する〕自然の側からの解答では、いかなる特定の事例においてであっても、私たちが決定したりなしたりするのを欲するであろう事柄を十分に説明することができないことは、ほぼ間違いないだろう。まったく慣習によらないニーズというものは、極めて最小限のものでしかない。だが慣習の側からの解答は、以下の反論へと開かれるだろう。すなわち、その解答は実際のところ慣習による一つの解答に過ぎず、そして慣習はさらなる論証がなければそれ自体の擁護とみなすことができない。セン、ウィリアムズ、そしてジョン・ミュールバウアーの全員が指摘するように、人々はまさに慣習に甘んじてきたのだろう。さらに、慣習を擁護することや擁護しないことは、（おそらく他のどこかの慣習との比較を経由して）結局のところ人間本性や本当の利益、ないしその種の何かへと、ウィリアムズの言葉でいえば「一周回って元に戻ってしま」〔本訳書一六九頁〕わねばならないだろう。だが、一周回って元に戻ってしまうという事態は、まったくの論争的な事柄というわけでもないかもしれない。ウィリアムズが述べたように、「ある生活の卓越性ないし充足性とその生活を営むために必要な信念の体系とは、前提と結論のような関係にはない」。「卓越した生は、」――充足した生でさえも――「そのような信念体系をもっているということによって特徴付けられるのであり、その体系の信念のほとんどは、その行為者の性向や生とか、他の人々の性向についてのものではなく、社会的世界に関するものである」（Williams 1985: 154、邦訳三〇一頁）。〔それゆえ〕生活水準の価値は、たしかに生活することの中に見出されるように思われる。〔生活水準の〕概念的正確さを支持する第二の議論は、以上の事実を避けるべきではなく、この事実が意味しうるものを正確に捉えようと試みなくてはならない。

にもかかわらず、生活することは避けがたく集合的なものであり、たとえば「市場」と呼ばれるものにおいて、集合的生活が自然の成り行きをたどる〔＝放っておいても自然に協力関係が築かれる〕と信じられる者はいまやいない。たとえ不履行のみによってであっても、それは〔恣意的に〕方向付けられてしまうのである。現代の政府は決して正確に行為することはできないだろう。しかし、現代の政府が実際にできることがどれほど不正確であったとしても、行為しようとしている（あるいはしようとしていない）ことが一体何であるかについては、それなりに正確な感覚を持っていなければならない。これが概念的正確さにこだわる第三の理由である。このことが惹起する問いについて、センも、コメンテーターの内の誰も直接的には扱っていない。これらのレクチャーにおけるセン自身の第一の関心は、〔生活〕水準のアイデアをその説明から区別すること、そしてそのためアイデアそれ自体にあるのであり、どこか特定の時と場所における〔生活〕水準についてなされうる事柄にあるのではない。さらに、ラヴィ・カンブールに対するリプライの中でセンが述べるように、本書の二つのレクチャーでは、個人にとっての水準それ自体をめぐる問いが優先しており、集計をめぐる問いには——公共政策のためにはこの問いに解答がなされなければならないものであるが——それほど関心が示されていない[3]。しかし、センとそのコメンテーターが言わねばならないことの多くはまさに、政府や他の機関がなすかもしれない事柄に関係しているのである。

多くの政府や非政府の機関は、たとえば貧困者の「ベーシック・ニーズ」と呼ばれるようになったものに対してある種の、またある程度の責任を負っている。センが示すのは、そうした話題の土台——つまりニーズの基礎——がまったくもって明白だとはいえないままにあることとである。加えて、あらゆる政府は、政策を立案する上で対象としうる人々の大部分が、貧しいか否かにかかわらず、家計において生活するという事実を考慮せねばならない。そこには子どもが、またしばしば不利な立場にある女性が含まれている。このことは、〔家計内での〕分配をめぐる問い、および「等価〔尺度〕」というよりいっそう技術的な——ミュールバウアーとハートが異なる仕方で取り組んでいる——問いを提起する。後者の問いは「社会的」な財、あるいはより正確に言えば公共財の水準を集計することをめぐる問いとははっきりと異なる。さらに、政府や他の機関は、以下の範囲を、先手を打って定めるのみならず、理解せねばならない。つまり、政府や他の機関が責任を負うところの社会において、家計が——ハートの言い回しでは——「自己供給」できる範囲、また、そのような供給が何らかの他の制度あるいは一連の諸制度をくぐり抜けねばならない範囲である。ハートの論文の関心は、三つの経済において「自己供給」と他の手段による供給との間に存在する、しばしば込み入っていて流動的な結びつきに対して向けられた注意にある。三つの経済とは、西アフリカのサバンナ——〔旱魃と飢饉に〕今も苦しんでいる「サヘル」——における穀物農家や家畜飼育者らの経済、一九世紀〔イギリス〕のランカシャーにおける織物工らの経済、および現在の産業社会の経済である。ハートとセンが異なる仕方で説明するように、そうした結びつきは、所得の概算に基づく推計を危うくしてしまう。また、センがミュールバウアーに対するリプライで再確認するように、次のことは彼が述べなければならないことをめぐる主要論点の一部をなしている。すなわち、商品——所得それ自体、所得に交換しうるもの、また所得のように考えることのできるもの——は、センが「機能」と呼ぶものからは区別されねばならないことである。機能とは、「ある人が存在しているその状態に関する諸特徴」〔本訳書一七二頁〕のことであり、一人の人間や家計が所有したり生産したりできるものではない。

さらに、センが第二のレクチャーの末尾で述べるように、機能を、機能するためのケイパビリティや、機能することを選択するためのケイパビリティから区別することは、つねに容易であるとは限らないが、重要なことである。ケイパビリティは、諸々の自由を意味する。そのことが、ケイパビリティを検討することの要点の一つである。多くの人々や一部の政府は、まさに自由についての問いに注意を払っている。カンブールやミュールバウアーと同じくセン自身が、何らかの実践上の明晰さや使用可能な意味をこの概念に与えるにあたって関わりうる事柄、また、その事前の魅力と事後の結果とを比較するにあたって関わりうる事柄を説明している。しかし、センが「実現可能な機能の束」〔本訳書六七頁〕と呼ぶところのものに関するある個人の集合は、その人にとってのケイパビリティでもあるがゆえに、「機能とケイパビリティの間には同時的かつ双方向の関係性がある」〔本訳書六八頁〕。もちろん、ウィリアムズが明確にするように、ケイパビリティの中には、「福祉や生活水準の向上にそれ自体として寄与する善に対する」〔本訳書一六二頁〕選択に関係するわけではないものもあるだろう。というのも、次のように主張するのは奇妙なことだろうから——長く生きられる、あるいは身長が高い、といったケイパビリティは、早く死んだり小さくなったりすることを選ぶことができる〔＝それとは別の選択もある〕ことによって実現するのであり、また、そのようなことができることは、当人の生活水準を向上させるのだ、と。また、多くのケイパビリティ——たとえばウィリアムズが言うような、シャツを洗濯するためにさらに別の型の粉末洗剤を買うこと〔ができるということ〕——は瑣末なものである。しかし、最終的に次のことには実践上のみならず概念的にまさに意味がある。すなわち、「ともに実現可能なケイパビリティの諸々の組み合わせ」〔本訳書一六五頁〕としてウィリアムズが言及するものを検討すること、ひいては、そうした諸々の集合を諸個人が獲得しうる社会的・政治的な条件について考えることである。

〔以上のような概念的な正確さをめぐる諸々の困難〕にもかかわらず、集計に関する問い——より直接的に実証的・政治的な種類の問いは言うまでもなく——は、生活水準のアイデアそれ自体がはっきりするまでは解答されえず、本当のところは問われることすらありえない。センの功績は、生活水準のアイデアをはっきりさせるために多大のことをなした点にある。そして、いまやその批判者さえ認めなければならないことだが、議論がどこでなされているのか、そして何についてなされているのかを、以前よりはるかに明瞭にしたことにあるのだ。

〔最後に、このレクチャーの〕場を設定するにあたって、また出版される最終成果物を準備するにあたって、以下の方々から受けた助力に感謝する。カレッジの同僚たち、ケンブリッジ大学出版局のフランシス・ブルックとキース・ロイド、四人のコメンテーター、そして何より、とてもつらい時期にあったアマルティア・センその人に。[7]

ジェフリー・ホーソン
ケンブリッジ大学クレア・ホール、一九八六年

原注

（1）この論文に私の注意を向け、また実際にこの論争の全体に私の理解が追いつくようにしてくれたニック・フォン・チュンゼルマンに感謝する。Tunzelmann（1985）には、この論争についてのいまや相当量となった文献の整理が含まれている。ロデリック・フラウドに対しても、彼自身の業績に注意を向けさせてくれたことに感謝する。

（2）この例は、ピーター・タウンゼントが一九八六年三月にウォーリック大学で行ったレクチャー「貧困――昨今の理論と政策」から得ており、彼はその文章を親切にも私に見せてくれた。それが依拠しているところの、タウンゼント自身が携わっている調査は、一九八六年のロンドンの貧困および労働市場に関するものである。

（3）この問いを「優先する」と述べることは、人を「アトミズム」にコミットさせるように思えるかもしれない。それは外延のない主体と無前提な権利所持者という信念であり、アナキズム――経済学者たちはこれにコミットしているのだと多くの非経済学者がと考えており、また一部の経済学者は自ら支持を示しているようにしばしばみえる――に傾きがちである。それゆえ、次のことを指摘しておくことにはおそらく価値がある。そうしたアトミズムに対する最も執拗な批判者でさえも、人は自己から開始せねばならないことには同意するという点である。批判者たちは単に、「自由な個人が、個人の選択およびそういった選択から形成されるアソシエーションに対して純粋に――そういった選択〔の機会〕が開かれたり閉じられたり、また豊かだったり乏しかったりするような〔個人の〕母体を無視して――関心を持つことはできない」のであり、「社会内で隆盛を見ている特定の活動および制度が、個人にとって重要なのである」と主張しているだけである（Taylor 1985: 207）。他の人々の議論にとって何が真であろうとも、センが、そうした考慮事項を遮断することはまったくなく、むしろ要求しているのだということは明白である。

訳注

［1］タナーは一九〇四年生まれであり、一九九三年に没している。本訳書全体を通じて、肩書きは原著の刊行時点でのものである。

［2］日本では二〇一六年五月にはじめて、お茶の水女子大学で開催された。この時の講演者は医師であり衛生・労働政策を専門とするキャロル・ブラックであった。

［3］ここで念頭に置かれているのは、トマス・カーライルによる経済学に対する「陰鬱な科学」という評言である。

［4］フォン・チュンゼルマン自身は、第一の事実的な問いに関して、労働者の生活水準が下降したと主張する立場を「悪化派（deteriorationist）」と呼び、第二と第三の反事実的な問いに関して、労働者の生活水準がよりよくなっただろうと答える立場を「悲観主義者（pessimist）」と呼んで区別している（von Tunzelmenn 1985: 208）。

［5］ギルバート・キース・チェスタトンはイギリスの作家であり、ヒレア・ベロックはフランス系イギリス人の作家である。彼らは盟友関係にあった。ここで念頭におかれているのは、フォン・チュンゼルマンが引用する、E・H・カーによる次の文章であ

ると考えられる（von Tunzelmenn 1985: 211）。「〔およそ一七八〇年から一八七〇年のイギリスの産業化について、公衆衛生や搾取などの〕代償という点から見て、産業化をしないほうがよかった、と主張する歴史家というのは聞いたことがありません。こういう歴史家がいるとしたら、きっと、その人はチェスタトンやベロックの派に属しているに違いありませんが、真面目な歴史家なら――まったく当たり前の話ですが――そういう人を真面目に受け取りはしないでしょう」（Carr, E. H. 1961. *What Is History?*. Macmillan: 74-75. ／清水幾太郎（訳）『歴史とは何か』岩波書店（岩波新書）、一九六二年：一一六―一一七頁）。一見してチェスタトンやベロックは他の悲観主義者と立場を同じくするものの、さらに進んで産業化そのものにまで反対してしまう点に彼らのノスタルジーが見出せる、ということであろう。

［6］ハモンド夫妻は、ジョン・ローレンス・ハモンドとバーバラ・ハモンドの夫婦である。夫ローレンスはイギリスのジャーナリストであったが、妻バーバラと結婚。以後、ともに産業革命期の社会史研究を精力的に行った。二人は、労働党に共感を抱いていたが社会主義者ではなく、国家による社会改革の必要性を主張する「ニュー・リベラリズム」の論者であった。彼らの三部作は、産業革命に関する悲観主義の代表的古典となっている（E・P・トムスン『イングランド労働者階級の形成』市橋秀夫・芳賀健一訳、青弓社、二〇〇三年：一二四二―一二四三頁）。

［7］センは一九八五年に伴侶であったエヴァ・コローニを病で亡くしている。

レクチャー1：概念と批判（*）

アマルティア・セン

生活水準というアイデア、これ以上に身近なものを考えるのは難しい。そのアイデアは日々の思考に頻繁に現れる。実際のところそれは、経済学の概念にしては珍しく、極端な懐疑論をもって迎えられるというありふれた歓迎をうけることがない――経済学における他の概念、たとえば「完全競争」、「一般均衡」、「消費者余剰」、「社会的コスト」、さらにはほとんど超自然的な「M3」[1]などには、そのような懐疑論が待ち受けているのだが。人々は（少なくとも今のところはまだ）お互いに「最近の生活水準はどうだい？」と尋ねたりはしていないが、しかし年金受給者、看護師、鉱山労働者、あるいは（ついでに言えば）石炭庁長官の生活水準について語るとき[2]、自分たちは専門的な問題に従事しているのだと考えてはいない。生活水準と言えば話が通じるし、一見、容易にわかり合える。

しかしながらそのアイデアは、相違、対立、さらには矛盾にさえ満ちている。生活水準という一般的な概念の中に、生活の良さをめぐる多様で競合する見解が、分類されないまま共存している。生活の質の捉え方には根本的に異なる様々のものがあり、それらのうちかなり多くのものが、何らかの直接的な妥当性を有している。あなたは〔経済的に〕良い生活を送っている（well off）が、体調がいい（well）わけではないかもしれない。体調がいいとしても、望み通りの（wanted）生活を送ることはできていないかもしれない。望み通りの生活を送ってはきたのだが、しかし幸せ（happy）ではないかもしれない。幸せではあっても、それほど自由（freedom）ではないかもしれない。非常に多くの自由を享受してはいるが、それほど多くのことを達成(achieving)してはいないかもしれない。などなど。

まさしく多様性は生活水準についての伝統的な見方の一部分をなしている。私たちの仕事は、そこから目を逸らすことなく、生活水準という概念への関心とその概念の利用、それらの背後にある動機に注目して、むしろ多様性を正面から見据え、その先へ進んでいくことである。生活水準は私たち「専門家」の手によって新しく完全に定義されうるものではないのであって、何か首尾よく整っていて心地よいくらいに単純なものを手にしようとして、生活水準というアイデアのあらゆる豊かさを犠牲にしてはならないのである。生活水準というアイデアについては、あまりに多くの連想や利用があって、それゆえこの考え方を好みに合わせて作り変えられるパテとして取り扱うことには無理がある。もちろん私たちには、選択の余地がある。それどころか、この概念をめぐる現存の様々な解釈の間に矛盾があることを考えると、選択は不可欠である。しかし私たちは、自らの評価および選択を以前から存在する動機やニーズに関連付けながら、同時にまた、新たな需要に応じたり非伝統的な課題に答えたりといったことに対してもドアを開いておかなければならない。

1　競合的および構成的な多元性

生活水準のような考え方には二つの非常に異なるタイプの多様性があり、それらを明確に区別することが有益である。一つ目のタイプの多様性を「競合的多元性(competitive plurality)」と呼ぼう。この場合、異なる見方は互いに代替的な状態にある。私たちは対立する見解のうちから一つを選ぶことができるが、それらのすべてを選ぶことは(実際のところ二つ以上のものを選ぶことは)できない。これと別のタイプのものは、ある意味で、単一の見解の内部での、内的な多様性である。ある単一の見解は、互いに取って代わるのではなく補足し合う様々の側面を有しているかもしれない。これを「構成的多元性

(constitutive plurality)」と呼ぶことができるだろう。

たとえば、生活水準に関する一つの見方がこれを快楽（pleasure）とみなし、もう一つの見方が富（opulence）とみなしているとしよう。これは「競合的多元性」の例である。もちろん、快楽は富から独立しているわけではないが、しかしその純粋な形式においては快楽と富は生活水準についての代替的な見方である。両者の間に連想関係、相関関係、または因果的な結びつきがあるとしてもそうである。これと対照的に、もし生活水準をたとえば快楽とみなす一般的な見方を取る場合にも、異なったタイプの快楽の間での通約不可能性――プラトン、アリストテレス、そしてジョン・スチュアート・ミルといった論者たちによって議論された――は、この一般的な見方の内部における「構成的多元性」を提示する。[1] 構成的多元性は、生活水準を第一義的には多様な属性からなる一つのバスケットとして見ることを意味する。たとえ二義的には、そのバスケットに一つの指標の形で数値的表現を与えられる可能性が極めて濃厚であるとしてもそうである。対して競合的多元性は、代替的なバスケット（それぞれのバスケットが有する項目はたった一つであるかもしれないし、あるいはたくさんの項目が含まれるかもしれない）の間での選択を反映することに関するものである。生活水準をめぐる見方の多様性に直面した際には、競合的多元性の問題から構成的多元性の問題を選り分けることが不可欠である。

この第一のレクチャーにおいて、私は主として競合的多元性に、とりわけ生活水準に対するいくつかの、特定の伝統的アプローチに対する批判について議論することに関心を向ける。レクチャーの終わりまでに、一つの代替的アプローチを穏当な形で正当化するところへたどり着ければと願っている。それらの批判的な――そしてしばしば否定的な――議論は主として競合的多元性における暗黙の「選択」の問題に関するものとなるだろうが、構成的多元性をめぐる問題もしばしば含まれることになるだろう。というのも、代替的なアプローチのうちのいくつかは生活水準の概念についての多元主義的な構造を含むからである。第二のレクチャーにおいて、私は一つの代替的なアプローチ、すなわち別の場所で、関連する文脈において「ケイパビリティ・アプローチ」と呼んだもの（Sen 1982; 1984a: Essay 13, 14, 19, 20; 1985a）について、より積極的に探究していきたいと考えている。ケイパビリティ・アプローチを探究しそして利用していく上では、様々な個人的条件を達成することができるということ――これこれのことをすること、あるいはこれこれのようであることができるということ――という形で生活水準を捉えるために、広範にわたる構成的多元性の把握に取り組むことが要求されるだろう。また、そのアプローチが生活水準の評価という実践的問題において鋭敏かつ妥当な形で用いられうるものであることを確かめるために、経験的な描写も要求されることになるだろう。

2　対象と基準

あらゆる評価の営為には、少なくとも二つの基礎的な問いがある。（1）何が評価の対象であるのか。（2）それらはどれだけの価値があるのか。厳密に言えば、第一の問い――対象は何であるか――は、第二の問い――どれだけの価値があるのか――を構成する一つの側面である。評価の対象とは、評価的営為が十全に実行されたときにプラスの価値付けをされるであろうもののことなのである。(2) しかし、こう考えることが「何が」の問いを捉える上でもっとも有益な方法というわけではないだろう。この「「何が」の」問いのより率直な意義は、生活水準の評価においてそれらの対象が有する直接的かつ本質的な関連性にあり、そしてこの関連性は、一方では無関連性と、また他方では間接的あるいは派生的な関連性と、区別されなければならない。

この相違を際立たせるために、例として、生活水準を快楽とみなす一般的な見方について考えてみよう。この見方の示すところでは、様々なタイプの快楽が評価の対象であり、そして生活水準は快楽から構成される。それゆえ、高い収入を得ていることは、それ自体としては評価の対象とはならないし、健康状態が良好であることも、お金を貸してくれる用意のある銀行支配人の友人がいることも同様である。それらのことはおそらく（実際のところは典型的に）人の生活水準に影響を及ぼすが、しかしその影響は何らかの評価対象——この場合には何らかのタイプの快楽——を通じて作用するのでなければならない。過度の単純化の危険を承知で述べれば、もしもある変数についての改善が、他のあらゆるものについては同一のままであっても、生活水準を向上させるならば、その時、その変数こそが生活水準の評価における評価対象であることは明らかである。

「何が」の問いに答えることで、私たちはさらに歩みを進めることになる。たとえば、私たちはいまや次のように述べることができる。もしライフスタイルxがライフスタイルyと比べて評価対象のそれぞれについてより多くを有しているならば、そのとき、xはyよりも高い生活水準を伴っている、と。評価対象の同定は「部分順序」を生み出すが、それは様々な形で特徴付けることができるものである。おそらく最もシンプルな形式では以下のようになる。もしxがyに比べて、ある評価対象についてより多くを有し、その他についてより少ないということはないのであれば、そのとき、xはより高い生活水準を伴っている。私はこれを「支配部分順序（dominance partial ordering）」と呼ぶことにしたい。

もちろん、支配部分順序は、数多くの文脈において経済学者には非常におなじみのものである。厚生経済学においては、支配部分順序は個人選好あるいは個人効用を用いての社会的比較をなす際に用いられており、そしてその場合においては、いわゆるパレート原理を意味する。すなわち、もし誰かが状態xにおいて状態yにおけるよりも大きな効用を得ており、そして他の誰もxにおいてyよりも小さな効用を得ているのではないならば、そのときxはyよりも社会的により良い〔というのがパレート原理の意味である〕。支配関係による理由付け（dominance reasoning）のそのような利用はしばしば論争の余地のないものとみなされている。実際のところ、社会的ランキングを引き出す上での評価対象が厳密な意味で個人的効用の集合である限りでは、その通りであろう——そして、それ以上でもそれ以下でもない。パレート原理は論争の余地がないという見方に反論してきた私たちのような人間は、社会的ランキングの評価対象の同定に対する疑念をその論拠としてきた（つまりは非効用的特徴も本質的かつ直接的な関連性を有すると議論してきた）（Sen 1970; 1977b; 1979a; 1979b）。しかし「支配」関係による理由付けの正統性それ自体は疑問視されてこなかった。もちろん、この論争はあくまで何が「社会的に」適切なのかをめぐる評価に関連しているのであって、一個人の生活水準の評価という問題に関連しているのではないし、集団の生活水準に関連しているのでさえない。

支配部分順序はたしかに私たちの考察をかなりの程度まで広げてくれるが、しかし私たちが欲しうるあらゆる比較をなす上でそれで十分である、などということはまったくありそうにない。xはある一つの評価対象についてより多くを有しており、かつyはまた別の評価対象についてそうである、という場合には、支配部分順序はxとyをランク付けできないまま放置するだろう。それらをランク付けるためには、異なる評価対象の相対的な重要性という問題に正面から取り組まなければならない。そのとき私たちに必要なのは、評価の営為において様々な評価対象が有する相対的な説得力について教えてくれるような比較基準である。支配関係による理由付けは、相対的重要性をめぐる疑問について検討するという形の理由付けによって、補われる必要があるだろう。

3　効用、対象、そして評価方法

功利主義的伝統は、様々な対象の相対的な重要性について評価するための、一つの特殊な方法を提供している。規範経済学におけるこの伝統の（ベンサム、ミル、ジェヴォンズ、シジウィック、エッジワース、マーシャル、そしてピグーといった論者たちの仕事を通じての）影響力を前提すると、経済学におけるあらゆる評価的概念は究極的には効用についての何かしらの概念に依拠せざるを得ない、ということが極めて頻繁に当然のこととされるのも、驚くようなことではない[3]。生活水準もまた、この通例にとっての例外ではない。

しかしながら、効用を用いて生活水準を把握する方法には、非常に異なる二つのものが存在し、そしてそれらは厚生経済学の文献の中でいくぶんか混同されてきたように思われる。一つは、効用を評価対象それ自体とみなすことに基礎を置く方法である。A・C・ピグーは次のように述べた。「厚生の要素は意識の諸状態であり、そしておそらくは、それらの関係性である」（Pigou 1952: 10）。この見方においては、評価されるのは特定の精神状態という形式での効用であり、そして実際のところはそれが本質的には評価される唯一のものである。二つ目の見方では、効用は、たとえば保有されている財のような他の評価対象を評価する上で用いられる、評価のための装置とみなされる。ピグー自身が別の箇所で述べたように、「私たちは、嗜好が不変であるとみなされる一人の個人を念頭において、次の場合には、時点1よりも時点2において彼の配当はより大きくなっている、と言うことができる。すなわち、もし時点2において彼の持ち物に追加される項目が、時点2において取り除かれる項目よりも、彼がよりいっそう欲するものである場合には」（Pigou 1952: 51）。ポール・サミュエルソンはこのアプローチをより簡潔に述べている。「いかなる個人についても、もし財セット2が彼の無差別図表あるいは選好図表においてより上位にあるならば、財セット1よりも財セット2において、実質所得はより高いと言うことができる」（Samuelson 1950: 21）。

次のように考えられるかもしれない。もし〔財に対する〕無差別図表が効用の総計に依拠しているならば、これら二つのアプローチは同じランキングを与えるに違いないし、そして効用を用いての財の評価は効用それ自体の評価と一致するに違いないと。しかしそうはならない。次のような個人を考えてみよう。時点1と時点2において、効用の観点から、厳密に同じ方法で商品の束をランク付けるのだが、しかし商品の束のそれぞれについて、時点2よりも時点1においてより大きな効用を得るような個人である。この場合、〔一方で〕それぞれの時点において、商品の束2の効用評価の方が商品の束1の効用評価よりも高いが、しかしながら〔他方で〕時点1において商品の束1から実際に享受される効用が、時点2において商品の束2から実際に享受される効用よりも高い、という事態が生じることは十分にありうることである。以上より、降順に並べたそれぞれの効用は次のようになる。ここで U_1 (.) および U_2 (.) は二つの時点における効用関数を、また x_1 および x_2 はそれぞれの時点で保有されている商品の束を表す〔そして U_1 (x_1) から U_2 (x_2) への推移が上記の事態を示す〕。

$U_1(x_2)$〔時点1において商品の束2から得られる効用……最も大きい〕
$U_1(x_1)$〔時点1において商品の束1から得られる効用……二番目に大きい〕
$U_2(x_2)$〔時点2において商品の束2から得られる効用……三番目に大きい〕
$U_2(x_1)$〔時点2において商品の束1から得られる効用……最も小さい〕

もし効用が商品の評価に用いられているならば、x_2 は x_1 よりも高くランク付けられていなければならない。また「不変の嗜好」というピグーの条件が〔「無差別図表あるいは選好図表」は変化しないという形で〕満たされていると仮定すれば、〔実質所得という形での〕生活水準は第一の時点よりも第二の時点においてより高いと見なされなければならない〔というのも第二の時点では、当人がより高くランク付ける商品、つまり x_1 ではなく x_2 を保有できるようになったわけだから〕。他方で、もし経済的厚生の形式での生活水準が効用それ自体として（ピグーが言うところの「意識の状態」として）見なされるならば、明らかにそれは第二の時点よりも第一の時点においてより高くなる。$U_1(x_1) > U_2(x_2)$ だからである。効用を指標として用いての商品の束の評価は、効用の総計それ自体を比較することと同じ営為ではない。効用が評価対象それ自体であるのか、それとも他の評価対象を評価するために用いられるのみであるのかに関して、違いが生じるのである。

　生活水準の評価において効用を用いようという要求を検討する上では、ありうる利用法（評価対象として、および評価方法として）の両方が考慮されなければならない。そしてこのことは、当の作業を著しく厄介なものにする。というのも、効用を定義する方法にもまた、少なくとも三つの、それぞれに大きく異なる方法が、すなわち快楽、欲求充足、そして選択があるからである。それゆえ、少なくとも〔2掛ける3で描かれた〕六つの欄について精査しなければならないということになる。

4　快楽および幸福としての効用

　効用を快楽とみなす見解から始めよう。この言葉は様々に異なる意味で用いられる。いくつかの用法では、快楽はかなり狭く特徴付けられる。「快楽とは苦痛の中断でしかない」というジョン・セルデンの陰鬱な診断などがそれである。あるいはサミュエル・ジョンソンの次の言葉は、ディレンマであるように見えながら実は両論とも同じことを言っている。「結婚生活には多くの苦痛があるが、しかし独身生活には何の快楽もない。」また別の極端には、功利主義的伝統の一部として、価値を付されるあらゆるものは、まさにそのことを理由として、快楽を生み出すに違いないと仮定する傾向がある。そこではまた、快楽の程度は価値付けの強さを十分に反映しているだろうとも仮定される。

　功利主義的な見解にはどうやらあまり見込みがなさそうである。というのも価値付けは反省的な営みであり、快楽との間に複雑で一筋縄ではいかない結びつきを持つものだからである。とは言っても、福祉および生活水準を快楽によって捉える見方に何らかの種類の妥当性を与えるためにここで私たちが探究しなければならないのは、快楽についての適度に広い見方である。ジェレミー・ベンサムの支持した幸福量計算が、非常に広い見方を取っていたことは間違いない。非常に広い意味においてのみ、快楽は何らかの「幸福」だとみなされうる（そしてベンサムの言う「最大幸福原理」の基礎を提供する）だろう。マーシャルとピグーにおける「満足」という言葉の使用も、同じくらい広いものである（Marshall 1949: Book 3; Pigou 1952: Ch. 2）。

次のような主張をなすことは可能である。すなわち、満足、幸福、あるいは快楽を何らかの意味において同質な大きさを持つものと考えることが単純に誤りであり、そしてここで私たちは、よくてもせいぜい異なるタイプの精神状態および異なる因果的影響に関連付けられた様々な構成要素からなるベクトルを持つに過ぎないのだ、と。(4) しかし、それら異なるタイプの快楽が通約可能とみなされるかどうかにかかわらず、もし快楽アプローチを生活水準の基礎とするために真剣に努力するつもりなら、広い範囲をカバーする見方を回避する道はない。疑問は次のようなものである。〔快楽の意味について〕広い範囲をカバーした場合でさえ、このアプローチは本当に有力な提案をなすことができるだろうか？

幸福であることは評価されるべき一つの達成であるということ、そして生活水準を評価する上で幸福は一つの評価対象である（あるいは、もし幸福が多元的な形式で把握されるならば、評価対象の一つのまとまりである）ということは、きわめて容易に納得できるものである。このアプローチをめぐる一つの興味深い疑問点は、幸福を評価すべきものとして取り扱うことの正統性にあるのではない。それは十分に説得的である。むしろ疑問点は、その排他的な正統性にある。次のような非常に不遇な人物について考えてみよう。彼は貧しく、搾取されていて、働きすぎで、しかも健康を害しているが、しかし社会的な条件付けによって（たとえば宗教、政治的プロパガンダ、あるいは文化的圧力を通じて）自らの現状について満足させられている。私たちは、彼は幸福であり満足しているというただそれだけの理由で、彼はうまくやっているのだと信じることが本当にできるだろうか？　送っている生活がたくさんの剥奪にみまわれている場合にも、その人の生活水準は高いということがありうるだろうか？　生活水準は、その人が送っている人生の本質からそのように切り離されたものではあり得ない。評価対象として、幸福あるいは快楽が（たとえ広い範囲をおさえているとしても）排他的な適切性を有すると真剣に主張することは到底できないのだ。

このことは私たちを効用のまた別の利用法へと導く――評価対象としてではなく、評価方法としての利用法へ。しかしながら評価方法として利用することは、快楽あるいは幸福としての効用の解釈にとってとりわけ不適当なものである。快楽を得ていること、あるいは幸福であることは、そういった評価的な活動でもなければ、評価的な活動にかたく結びついたものでもない。次のような所見に困惑させられるようなところは何もないのだ。「私はいまでもxに価値があると思っているが、かつて手にしたことはないし、それなしでも幸福で満足した状態でいられることを学んだ。」評価的活動と幸福という精神状態との間に明らかな結びつきがあるが、しかしその結びつきは一方から他方を同定できるようなものではない。また、互いに無理なく代用できるほど強固に結びついているとみなすこともできない。

もちろん、日常的な用法によって認められている範囲を超えて、幸福という概念の中により多くを詰め込み、何らかの客観的な達成を「本当の意味で幸福である」ことの一部分とみなすことは可能である。もし、どういうわけか、幸福という概念で何とかやっていかねばならず、そしてあらゆる評価を幸福のみに基礎付けなければならない、という状況におかれたならば、このタイプの〔幸福概念の〕拡張は繊細な運用に十分耐えるものになるだろう。実際のところ、そのように〔幸福概念を〕豊かにすることが、他の概念を用いる自由を他人に譲り渡してきた自称功利主義者たちにとっては特に魅力的なものとなるであろうことは、驚くようなことではない。とはいえそれはかなり専門的な興味関心に属する。

この種の〔幸福概念の拡張的な〕運用は、ある程度の一般的な知的関心の対象ともなる。というのも、とりわけ注目すべきこととして、エウダイモニアというギリシアの概念の広がりと豊かさが、幸福あるいは快楽について同じ様に広い解釈を提示してくれるからである。[5] しかし目下の文脈においては、その方向に進むことはさほど重要なことではない。というのも、価値および評価についての他の概念は、それ自らの資格において検討されうるものであり、真剣な考察の対象となる上で快楽あるいは幸福の背中に乗る必要はないからである。私たちの直接の関心に値する、探究しがいのある理路は他にも数多く存在する。私たちはまだ何も譲り渡してなどいないのである。

5　欲求と環境

効用を欲求充足とみなす解釈について、私たちは何を言うことができるだろうか？　ピグーは明らかに、効用の重要性は満足にあるのであって欲求にあるのではないと考えていたが、それにもかかわらず彼は需要に反映されるものとしての欲求の強さは満足の優れた証拠とみなされるだろうとも考えていた。「ほとんどの商品は、それらが生み出すと期待される満足に比例した強さでもって欲求されるであろうと仮定するのは正当なことである」（Pigou 1952: 24）と彼は論じた。[6] この結びつきは、生活水準および経済的厚生についてのピグーの分析において重要な役割を担っている。ピグーがそれら〔生活水準および経済的厚生〕を満足と欲求の両方の観点から理解し、そして「経済的厚生を……貨幣尺度と関係付けることができるような、満足および不満足の集まりからなるものとして」（Pigou 1952: 23）取り扱うことができるのは、この結びつきによってである。

けれども、もし、すでに大枠を述べた理由によって（あるいは実際のところ他のいかなる理由によってでもよいのだが）満足が評価の基礎としては拒否されるのであれば、欲求の派生的な（つまり他の重要性から引き出された）重要性についてのピグーの擁護は維持され得ない。しかしながら、欲求充足それ自体に（それが満足に関連するがゆえに派生的に、というのではなく）重要性を付与する昔からの伝統が存在する。一つの活動として、欲することには評価的な側面があるというのは、他の多くの論者とともにフランク・ラムゼーが強調したことだが、やはり真実である（Ramsey 1926）。では、欲求の解釈によって適切な評価方法が得られると主張することは可能なのだろうか（Hare 1981; Griffin 1982）？　この主張は精査を要する。

評価することと欲することとの間の関係性は複雑なものである。[7] 欲することは評価と密接に関係しているかもしれないが、評価活動それ自体ではない。欲することはしばしば評価の妥当な帰結であるが、欲することと価値を見出すことは同じことではないのだ。あるものについて、それを欲してはいるのだが価値は認めていないとか、あるいは欲しているほどに強くは価値を認めていない、と述べることには何の矛盾もない。実際のところ、それら二つを同じものとみなして、たとえば次のように述べるとすれば、私たちは戸惑うであろう。「私はxを強く欲しているのだから、xに高い価値を見出しているに違いない。」もし欲することと評価することの間につながりがあるとしても、それが同一性という関係でないことは確かである。

では、欲することは価値の源泉である、ということになるのだろうか？　この見解は表面的には魅力的であるかもしれないが、しかし欲することと評価することとの関係を厳密にこの方法で捉えることは難しい。「私はそれを欲しているがゆえにxを評価する」と述べることは、その反対に「私はそれを評価しているがゆえにxを欲する」と述べるよりもいっそう、私たちを当惑させるものである。あるものを評価するということはまさに、それを欲することの優れた根拠となるのであり、このことを考慮すれば、欲することは評価することの自然な帰結である。この関係を転倒させ、評価することを欲することの帰結とみなすならば、人々の目を丸くさせることになるだろう。「君はどうしてxを評価するんだい？」と彼女は尋ねる。私は意気揚々と答える。「なぜって、いいかい、私はそれが欲しいからさ！」これは、もちろん、計り知れないやつだという評判を得るためには優れたやり方であるだろうが、しかし尋ねられた問いに答える上で特に有効な方法だということはない。欲することが活動それ自体の重要な部分であるようなケースがいくつかあるのはもちろんであり（たとえば好奇心を満たすことや愛を育むことなど）、それらの場合においては、欲求は評価プロセスにおいて不可欠の役割を果たすに違いない。しかし一般的に言えば、欲求が評価の適切な基礎となることはほとんどありそうにない[8]。

　実際のところ、欲することは、私たちの欲望をはっきりさせたり熱望を可視化したりする上で、戦略的な役割を担っている。欲するという活動のこの側面における重要性は、欲求の個人間比較を考慮する際に鋭く現れてくる。貧しい人はお金持ちと比べて欲するものに対して支払うことのできる金額が少ない、というだけでなく、欲するという精神のエネルギーの強ささえも環境の偶然性によって影響される。虐げられ打ち負かされた人々は、社会によってより好意的に取り扱われている他の人々が気楽に遠慮なく欲するものについても、欲する勇気を欠くようになる。自分自身の有する手段では手が届かないものへの欲求を持たないことは、評価の何らかの欠如を反映しているのではなく、ただ望みがないこと、および「手の届かないものへの欲求を持ち続けることに伴う」逃れられない失望への恐れを反映しているのかもしれない。勝ち目のない人々は、欲求を実現可能な水準に合わせることによって社会的不平等と折り合いをつける。したがって欲求の尺度は、あまり公正なものではないし、評価の強さを反映できているわけでもない。真剣かつ恐れなしでの反省を行ったならばその人は一体何を評価するだろうか、という点については特にそうである。

欲求に関する情報はいくつかの文脈において証拠としての価値を有しており、人が何を評価し何を評価していないのかを私たちに教えてくれる、という考えは、確かに受け入れやすいものである。この考えには有用性がない、ということはまったくないし、他の人々の欲求は、このように〔評価の〕証拠になるがゆえに、参照する根拠があることになりさえするかもしれない。しかしそこから欲求の強さを評価の基礎として取り扱うことへの〔推論の〕跳躍は、長く、そして危ういものである。その欠陥がとりわけ明白になるのは、福祉あるいは生活水準の個人間比較をなす場合である。要点は、欲求の個人間比較を科学的になすことが不可能であるということではなく（ライオネル・ロビンズ（Robbins 1938）はそのように考えたものと思われるが）、福祉あるいは生活水準の個人間比較をなす上で欲求は大して役に立たないということにある。問題なのは不可能性ではなく歪曲である。

すでに論じた理由によって、欲求充足は——仮にもそれが評価対象であるならば——評価対象としては非常に限定されたものである。ある人物の福祉および生活水準を評価する上で、幸福は直接の関連を有しているかもしれず、それを様々ある評価対象（上に論じてきたような）のうちの一つとみなすのは一見したところもっともなことである。しかし欲求のもつ価値については検討が必要であり、そして、相応の価値を認めていないものに対する、あるいはさらなる反省を加えたとしても価値を認めないであろうものに対する欲求には、当人の福祉あるいは生活水準を評価する上で数え入れられるべき適切な根拠があるとは言えないだろう[3]（Sen 1974; Broome 1978; Majumbar 1980; Pattainaik 1980; Winston 1980; Hollis 1981; van der Veen 1981; Goodin 1982; Hirschman 1982; McPherson 1982; Akerlof 1983; Elster 1983; Schelling 1984を見よ）。

加えて明らかなことは、ある人の欲求の充足は、高いレベルの福祉あるいは生活水準を示しているかもしれないが、示していないかもしれないということである。痛めつけられた奴隷、打ちひしがれた失業者、希望を失った貧窮者、飼いならされた主婦は、ほんの少しのものしか欲する勇気を持たないかもしれないが、しかしそのように訓練された欲求が充足されたからといって、それは大いなる成功の証ではないのであって、より恵まれた状況にある人たちの大胆かつ野心的な欲求の充足と同じように取り扱うことはできない。

したがって欲求充足は、（仮に評価対象であるとしても）単一の評価対象ではあり得ないし、評価方法としてもかなりの欠陥がある。効用を欲求として解釈する主張は、快楽として解釈する主張よりも、評価方法の提供に関してはたしかにより説得的な主張をなすことができるかもしれない（というのも、一つの活動として、欲することは快楽を得ていることよりもよりいっそう直接的に、評価することに関連しているからである）。しかしそのような主張はいずれにせよ、あまり説得力のあるものではない。欲することは価値を認めることと同じではないし、それ自体として価値の源泉でもないし、何が評価されている（あるいは評価されるべき）かの適切な指標でもない。ゆえに、その評価上の役割は非常に場当たり的かつ限定的なものなのである。(9)

6　選択と評価

効用の第三の解釈、すなわち選択としての解釈についてはどうだろうか？　このアプローチのうちでも〔理論的な要請が〕より弱いヴァージョンは、「序数的」比較のみを含むものであり、[4]もしあなたがyを利用可能である場合にxを選択したならば、そのときxはyよりもあなたにとってより高い効用を有する、と主張する。より強いヴァージョンでは、行動パターンについての（たとえばくじに関しての）より多くの要求に従った選択から、効用の「基数的」尺度が引き出される。選択行動は、もちろん、それ自体として非常に興味深い。しかし福祉の解釈としては、選択の基礎にある二項関係はきわめて無理のあるものである。[10] それは選択することと利益を得ることとを混同しているのであり、しかも定義上のトリックのようなものによってそうしている。経済学におけるこの見方の人気は、〔経済学が有する〕観察可能性に対する取り憑かれたかのような関心と、人間の諸側面のうち選択だけが（とりわけ市場における選択だけが）観察可能なものであるとする奇妙な信念、これら二つが混ざり合ったがゆえのものかもしれない。

選択が評価とは非常に異なるタイプの活動であることは明らかであり、またそれが評価と結びつきを有する限りにおいては、この結びつきは選択が欲求の反映であることに部分的には起因するに違いない。したがって、効用の欲求解釈について述べられたことの多くがここでも該当するだろう。[11] 例外はおそらく、欲求の強さに依拠して個人間比較をなす際に、あまり恵まれておらず勝ち目のない人に対して不利な形で働く、欲求解釈のバイアスについての論点である。実際のところ、〔効用の〕選択解釈は、個人間比較の実践的手法を何一つとして直接に生み出すことがない。個々の人物が彼・彼女自身の選択をなすのであり、そして効用の個人間比較が異なる諸個人の現実の選択の観察から明らかになることはありえない。このアプローチを仮想的選択、たとえば「もし選べるならば、人物iであったほうがよかった、あるいは人物jであったほうがよかったと思いますか？」といった選択まで拡張することは可能であり、そのような枠組みは、何らかの形で個人間比較を引き出すために、ヴィックリー、ハルサニー、およびその他の人々によって洗練された形で用いられている（Vickrey 1945; Harsanyi 1955）。[12] しかし、そのような反実仮想的な選択が有する関連性は明らかではなく、その回答に解釈を加えて〔個人間比較の〕足場とすることは困難である。いずれにせよ、〔効用の〕選択解釈は一般にかなり無理のあるものであり、個人間比較の程度を図ろうとする際には完全に息切れを起こしてしまう。

選択解釈にはさらなる困難がある。あなたが何を選択するかは、あなたの動機に依存しているに違いない。自分自身の福祉の追求は十分に適切な動機であるが、もちろんそれがありうる動機のすべてではない。もしあなたが祖国の誇りのために、贔屓のサッカーチームの栄光のために、あるいはあなたの大叔母の利益になるように何らかのことをなすならば、それがあなたの福祉にもたらす影響は非常に二次的かつ派生的なものであり、あなたの選択の背後にある主たる原動力は何かそれとは別のものに関連しているだろう。そのような環境において、選択をあなたの福祉を反映するものとして取り扱えば、選択行動をめぐる動機の複雑性を見落とすことになるのは間違いない。

同様の問題は、ある程度まで、〔効用の〕欲求解釈においても生じる。というのも、あることがしたいとあなたが欲するのは、それがあなたにとってとりわけ良いものだからではなく、何か他の理由のためであるかもしれないからである。もちろん、次のように考えることはまったくもってもっともなことである。すなわち、ある人が選択しようとしたものを達成し損ねること、あるいは欲するものを手に入れ損ねることは、翻ってその人の福祉の価値にマイナスの影響を及ぼすだろう、と。失敗の感覚に由来する落胆、欲求不満、そして苦悩は、達成しようとその人が目指すものが何であるかにかかわらず、人の福祉を減少させるものと考えて良いだろう。しかし、人の福祉に対してもたらされる影響は欲求の強度あるいは選択の計量値によってうまく表される、という主張に納得するのは難しい。というのも、その〔欲求あるいは選択の〕基礎にある動機は落胆や欲求不満の回避ではなく、祖国の栄光や、あるいは何らかの社会的もしくは政治的理想といった、他の何かでありうるからである。[5]

私たちは次のように結論せざるを得ない。すなわち、効用の諸解釈（快楽・欲求充足・選択）のいずれも、福祉あるいは生活水準を把握する上でそれほど役に立つものではなく、その欠陥は、それぞれの解釈を評価の対象として捉えるとしても、また評価方法として利用するとしても、いずれにせよ該当するものである、と。もちろん、それぞれの解釈は福祉および生活水準と結びつきを有しており、効用ベースで生活水準を把握する方法に対して表面的な妥当性を付すのに十分ではある。幸福が生活水準における評価対象であり（唯一のものでは決してないが）、そして欲求および選択は評価に関する情報を与えてくれる点で（曖昧さと体系的なバイアスはあるが）証拠としての重要性を有している、ということは明らかである。効用と生活水準には関係がある。だがそれは兄弟関係というよりもむしろ、遠い親戚の関係である。[6]

7　富、商品、機能そしてケイパビリティ

効用がそれほど役に立たないということ、そしてその失敗の一員が「主観主義[7]」にあることを踏まえれば、私たちがよりいっそう客観的な考察へと向かうのももっともなことである。この文脈では、生活水準を商品保有（commodity possession）および富（opulence）によって捉えることの優位性が、十分に真剣な精査に値するように見えるかもしれない。実際のところ、「実質所得」は典型的にはそのような仕方で〔客観主義に基づく優位性を持つものとして〕捉えられており、そして実質所得と生活水準との間の結びつきは非常に密接なものであるに違いない。たまたまかもしれないが、ピグーでさえも、人々がその下に落ちることがあってはならない「実質所得のナショナル・ミニマム」を決定する際には、「それは主観的な満足の最低限ではなく、客観的な状況の最低限として考えられなければならない」と論じていた。そして彼は続けてこの最低限を、商品保有の形で特徴付けた。「この最小限とは、住宅設備、医療ケア、教育、食料、余暇、衛生的なトイレ設備、そして労働環境の安全性等々に関する、ある一定の量と質とを意味する」（Pigou 1952: 759）[13]。

ピグーは実際にこれに続いて、「経済的厚生」という形で把握された効用を促進することの妥当性を論じる上で、一定の「最低限の水準」を設定し、そして「いかなる最低水準を用いればそれ〔経済的厚

生〕は最も効果的に促進されるか」を検討した。すなわち、最低限の実質所得という「客観的」アプローチは、究極的には効用の追求に基礎付けられたものとして目論まれていたのだ。しかしピグーはこの理路を深く掘り下げたわけではなかった。そのように〔二つの概念を〕関連付ける営為を追求していくためには、「大量かつ詳細な情報を獲得しそして分析することが必要であろうが、そのような情報の多くは、目下の状況においては、学者にとって獲得可能なものではない」（Pigou 1952: 761）という、立派であり安心できる（いくらか当惑させられる人もいるかもしれないが）根拠に基づいて、彼はこの営為を放棄したのだった。

もし私たちが客観主義的な方向へと進むつもりならば、これが正しい道筋なのだろうか？　ピグーによって提示された最低限の要求のリストが非常に大きな直接的妥当性を有していること、またより一般的に言えば、生活水準を理解する上で必須の重要性を有するいくつかの商品の保有に関心を向けることが鋭いやり方と思われること、これらが大いに疑わしいなどということはあり得ない。実際のところ、ある人を低い生活水準の下にあると同定するにあたっては、彼あるいは彼女がまっとうな住居、十分な食料、あるいは基礎的な医療ケアを剥奪されていることを根拠とするほうが、彼あるいは彼女が単純に不幸であったり欲求不満であったりすることを根拠にするよりも、いっそう妥当性があるのだと論じることはたやすい。進むべき方向性として、生活上必須となるいくつかの商品の保有状況に専念することは十分に正当なことであると思われる[14]。

よりいっそう厄介な問いは、これが進むべき方向として正しいかどうかではなく、商品保有の状況を調べるところで立ち止まることが正しいのかどうかである。商品保有という形の富が生活水準の向上において重要であることは疑いえないが、しかし生活水準は富それ自体としてこそ最もうまく把握できるのだろうか？　このレクチャーの最初の方で、「〔経済的に〕良い生活を送っている（well off）」ことと

「体調がいい（well）」こととを区別したが、〔この区別を用いて〕次のように論じるのは理にかなっている。すなわち、福祉（well-being）は〔経済的に〕良い生活を送っていることに関連しているが、それらは同じものではないし、大幅にずれることも大いにありうるだろう、と。(15)

この区別はさらなる精査を必要とする。個人Aと個人Bの二人について考えてみよう。二人とも非常に貧しいが、Bの方がよりいっそう貧しい。Aはより高い所得を得ており、とりわけ、より多くの食べ物を購入し消費することができている。しかしAはより高い代謝率を有し、また寄生虫による病気を患っていて、それゆえ高い食料消費量にもかかわらず、実際にはBよりもいっそう栄養不足であり衰弱している。問いは次のようになる。二人のうちどちらがより高い生活水準を享受しているだろうか？私の考えるところでは、これは多額の賞金のかかった最後の大問題[8]というわけではない（また、もしそうだとしても〔正解して〕賞金を得るのはたやすい）。Aはよりいっそう裕福である、あるいはよりいっそうの富を持っているかもしれないが、よりいっそう栄養不足でありよりいっそう衰弱していることが完全に明らかである以上、二人のうちでより高い生活水準を享受しているのは彼のほうだと言うことはまずできない。たとえ生活水準が富によってとりわけ大きく影響されるとしても、生活水準は富の水準ではない。生活水準は人が生活を送っていく上で用いる資源や手段ではなく、むしろ直接に、その人が送る生活の問題であるはずだ。客観主義の方向性をもって効用から離れていくことは正しいかもしれないが、富のところで歩みを止めるのは適切ではないのだ。

食物摂取と比較して、栄養状態には〔人によって〕違いがあり、生理的な、医学上の、気候上の、あるいは社会的な要因の多様性によって影響される。より高い代謝率（あるいはより大きな体格）を有していたり、妊娠中（あるいは授乳中）であったり、消化吸収を困難にするような疾病にかかっていたり、より寒冷な気候の下に暮らしていたり、長時間の重労働に従事しなければならなかったり、食物を他の用途

（たとえば接待、儀式、祝祭など）に用いなければならなかったりするならば、他の人と同じ水準の栄養状態に到達するためにより多くの量の食物を自由に利用できる必要がある。食料保有へと向かうピグーの歩みは明らかに正しかったが、しかしその要点は食料それ自体というよりも、むしろ食料および他の商品の助けを借りてどんな形の生活を送ることができるのか、たとえば十分な栄養を摂取できているかどうか、他人をもてなすことができるかどうかといったことにある。

これと同じことが、他の種類の商品、およびそれによって後押しされる他の機能（functionings）――すなわち生活の状況――についても当てはまる。マルクスによる「商品の物神崇拝（commodity fetishism）」への攻撃（Marx 1887）は、かなり異なる文脈においてなされたものであったが、生活水準という概念にも深い関連性を有する。市場は商品に価値を与え、そして物質的世界における私たちの成功はしばしば私たちが持つ富によって判断される。しかしそれにもかかわらず、商品は他の目的のための手段以上のものではない。究極的には、いかなる生活を私たちは送るのか、そして私たちには何ができて何ができないのか、何であることはできて何であることはできないのか、といったことに焦点が当てられるのでなければならない。別のところで私は、私たちが達成することができたりできなかったりする様々な生活の状況のことを私たちの「機能」と呼び、それを達成するための能力を私たちの「ケイパビリティ」と呼んだ（Sen 1984a: Introduction, Ch. 13-20）。ここでの主眼は、生活水準はまさしく機能とケイパビリティの問題であり、直接には富や商品や効用の問題ではないということにある。

このアプローチはマルクスのみならず、アダム・スミスにも起源を持つ。事実、アダム・スミスが関心を持っていたのは主として「富（wealth）の最大化」についてであった、という主張がしばしばなされるにもかかわらず、彼が商品（および富）そのものに集中するのを避けたいと考えていたこと、そして後になってマルクスが述べたところの物神崇拝を回避することにも熱意を持っていたことについて、多くの証拠がある(16)。実際のところ、アダム・スミスは生活状況についての標準的な特徴付けを巧みに乗り越えて、「人前に出て恥ずかしい思いをする」ことがない、といった機能について考察し、さらにはこれを達成するために要求される商品――衣服や靴など――が社会のしきたりや文化規範に応じてどのように変わってくるのかを分析していた(Smith 1910: 351-353)[9]。それらのしきたりや規範が、今度は〔逆に〕それぞれの社会の経済状況に影響を受ける〔こともスミスは認識していた〕。アダム・スミスは商品の物神崇拝や富の最大化からは距離をとって問題に取り組んだばかりでなく、一方の商品〔および富〕と他方のケイパビリティ(および様々の生活の状況の達成)、これらの間の関係性が社会的な性質を持つことを示しもしたのだった。恥ずかしい思いをすることなしに人前に出ることができる、という同じケイパビリティ〔の実現〕のためにも、その人が暮らしている社会の性質に応じて、商品および富に対する多様な要求がなされるのである。

8　相対的なものと絶対的なもの

私は第二レクチャーにおいて、生活水準に対するケイパビリティ・アプローチをさらに精査していくつもりである。ここまでの主として〔既存の見方の不適切さを指摘するという意味で〕否定的な議論を閉じるに当たって、何が貧困とみなされるべきかに関する国際的な相違、および貧困層を特定するための最低生活水準の使用に関して、いくつかの見解を述べよう。活発な議論がなされてきているのは、貧困水準の相対的な性質、そして一般的な豊かさの階段を上がっていくのに応じた最低水準の引き上げの必要性についてである。何人かはこの変化に対して、非常に単純かつ直接的な形式を与えようとしてきた。たとえばピーター・タウンゼントは次のように述べている。「代替的な基準がない以上、充足性の水準〔＝貧困の閾値〕を実質所得における平均値の上昇(あるいは低下)に関連付けることが最善の仮定となるだろう」（Townsend 1979a; 1979b, また以下の文献も見よ：Fiegehen, Lansley and Smith 1977; Beckerman and Clark 1982; Townsend 1985; Sen 1985c）。また別の人々は、そのような相対性の中に貧困と不平等との混乱を認め、貧困を取り除くことはほぼ完全に不可能に思われると論じている。もし貧困ラインが「平均」所得に対して完全に相対的な形で定められるならば、つねに何人かは相対的に貧困であることになる。[17] 相対主義的な見方の流行に対して、奇妙な心理学的説明を見出そうとしてきた人々もいる。たとえば、社会保障大臣[10]のローズ・ボイソンは最近の議会で次のように述べた。「アメリカにおいて貧困線上にいる人々はインドの人々の平均所得の五〇倍以上を稼いでいる。これが相対的貧困というもののすべてである。……一見して明らかなように、人々がより多く稼げば稼ぐほどに、人々はより多くの貧困が存在することを知るのであり、おそらくはそれゆえに、彼らは、貧困なのは自分たちではないという事実から喜びを得るのだろう。[18]」

この驚くべき見解に含まれているごまかしは、私たちが生活水準を機能およびケイパビリティの形で把握するならば、きっちりと取り除くことができる。十分な栄養を得ている、というようないくつかのケイパビリティは、多かれ少なかれ、当人が暮らしている共同体の平均的な富の量とは無関係な商品（食料やヘルスサービスなど）に対する、程度の多少の差はあれど、同様の需要を有しているであろう。その他の、たとえばアダム・スミスが特に関心を抱いたようなケイパビリティに関連する商品への需要は、平均的な富の量に応じて大きく変化する。恥ずかしい思いをすることなく生活を送ること、友人のもとを訪れたりあるいは友人をもてなしたりできること、ものごとの成り行きや他人の会話を追うこと等々のために必要とされる一連の財・サービスは、一般により裕福な社会、すなわち、ほとんどの人々がたとえば交通手段や、あふれんばかりの衣服や、ラジオあるいはテレビセット等々を持っている社会においては、いっそう費用のかかるものとなる。それゆえ同じ（生活の「最低」水準に関連する）ケイパビリティでも、そのうちのいくつかは、より貧しい社会におけるよりもより裕福な社会において、より大きな実質所得を、あるいは（商品保有という形での）より多くの富を要求する。それゆえ、ケイパビリティの同じ絶対的水準が、所得（および商品）に対するより大きな相対的ニーズと結びつくことがありうる。そういうわけで、たとえ貧困が同じ絶対的水準において定義されている場合でも、それが基礎的ケイパビリティ（basic capabilities）［の欠如］として定義されているならば、所得の空間において「相対主義的な」見方を持つことが必要だという点に関して不可思議なものは何もない。ローズ・ボイソンのこじつけでしかない心理学的説明はまったくもって余計なものである。

　もちろん、相対的な描写にはこれとはまた別のヴァリエーションも存在する。ダン・ウーシェルによって巧みに議論されてきたように（Usher 1968）、時として、より貧しい社会におけるよりもより裕福な社会において、同じ財でも相対的により多くの費用が（貨幣の交換比率に照らして）かかることがありうる。また、社会がより豊かになりますます多くの人々がそれ以前には一部の人にしか手が届かなかったような水準のケイパビリティを達成するようになるにつれて、「最低限」として受容されるケイパビリティの水準それ自体も引き上げられるかもしれない（Sen 1981: Ch. 2, 3. また Hobsbawm 1968; Wedderburn 1974も見よ）。これらの変化はさらに、「現代的標準」に照らして貧困とみなされる状況を避ける上で、より豊かな国々においてはいっそう大きな所得が必要になる、ということの一因となる。

　ひとたび生活水準の構想にケイパビリティという適切な形式が与えられたならば、所得の空間における（そして商品の空間における）貧困線の相対性の内にある様々な要素を整理することに、大きな困難は一切ない。貧困について研究する上での困難な、しかし中心的な問題とは、生活水準という概念それ自体なのである。[19]

9　多元性と評価

私はこのレクチャーを「競合的多元性」と「構成的多元性」とを区別することから始めた。このレクチャーの大部分において関心を向けたのは、生活水準というアイデアの内にある競合的多元性をめぐる、いくつかの実質的な問題を片付けることであった。生活水準を把握する特定の方法を発展させようと試みる中で、批判的な——そしてしばしば否定的な——立場から、富、幸福、欲求充足、選択といった互いに競合する諸要求の関連性および適切性について考察してきた。しかしながら私は、生活水準について他の見解を退けるべきだと論じながらも、それらの見解の間の相補関係と、それらの見解が生活水準に対して有する因果的な結びつきの双方について、明確にするとともに精査しようとも試みてきた。

生活水準という概念における機能およびケイパビリティの役割は、第二レクチャーにおいてさらに分析・検討される。機能やケイパビリティにはたくさんのタイプがあるため、この文脈では構成的多元性をめぐる問いがとりわけ重要かつ挑戦的なものとなる。[20] ケイパビリティ・アプローチは一つの特定の評価理論へと至るものではない（代わりにそういった理論の一つの類型を、一般的な動機の構造の内側で規定する）が、それでもやはり、評価の基礎をなす諸原理については詳細な探究と吟味が要求されることになるだろう。第二レクチャーにおいて取り組まれる課題の一つがこれである。

原注

（＊）このレクチャーを準備するにあたって、私は以下の人々とのこれまでの議論から恩恵を受けた。ケネス・アロー、エヴァ・コローニ、ロナルド・ドゥオーキン、ジョン・ヒックス、ジョン・ミュールバウアー、ジョン・ロールズ、T・M・スキャンロン、イアン・ホワイト、そしてバーナード・ウィリアムズ。公刊のために書き直すにあたっては、タナー・レクチャーにおける討論者たち（キース・ハート、ラヴィ・カンブール、ジョン・ミュールバウアー、そしてバーナード・ウィリアムズ）からの、またセミナーを運営してくれたジェフリー・ホーソンからの論評によって、そしてスディール・アナンドとマーサ・ヌスバウムからのその後のコメントによって、おおいに助けられた。

（1）このことはSen（1980-1981）において議論されている。Gosling and Taylor（1982）およびNussbaum（1983-1984）も見よ。

（2）ここで少しばかり論点の明確化のため指摘を行う必要がある。第一に、ある対象が、もし潜在的に価値を有し、そしていくつかのケースにおいて実際に価値付けられるのだが、あらゆるケースにおいてそうであるとは限らないならば、その対象は「弱い」意味での価値の一つであるかもしれない。この弱い定式化が用いられる場合、「支配」条件（後で議論する）はそのことに対応するよう改められなければならないだろう。第二に、負の価値を生み出す対象は、「反転」させて、すなわち、それを「否定的評価」の対象として取り扱い、その増加ではなく縮減を改善として数え入れることによって、評価の対象に含み入れることができる。第三に、時として肯定的にまた時として否定的に価値付けられる対象が存在する場合には、「支配」関係による理由付けを追求するにあたって真の困難が生じてくる。実際のところ、評価対象の同定と評価的営為の残りの部分とを区別することの実行可能性と有益性は、もしそのような「混合された」対象が存在する場合には深刻な形で弱められてしまうだろう。このタイプの問題――および他のいくつかの問題――はSen（1975）において議論されている。しかし、「混合された」ケースのほとんどは道具的な意味でそうである（そしていくつかのケースでは肯定的に、また他のケースでは否定的に本質的な意味で価値付けられるというのではない）傾向がある。それゆえ問題は、大部分において、より深く進んでいくことによって回避可能だろう。この問題は、「機能」および「ケイパビリティ」を評価する場合よりも「富」を評価する場合においてよりいっそう深刻な問題となりそうだ。

（3）この立場に対して効用理論に関する第一級の人物からなされた強力な批判として、Hicks（1981）を見よ。この論文は、『世界経済論』（Oxford: Clarendon Press, 1959）および一九六一年に〔フランスの〕グルノーブルで読み上げられた論文、これら二つからの抜き書きによって構成されている。

（4）とりわけScitovsky（1976）を見よ。

（5）Gosling and Taylor（1982）およびNussbaum（1985）を見よ。

（6）ピグーは続けて「この一般的な結論」に対する「一つの非常に重大な例外」について論じた。その例外とは、「私たちの望遠鏡の機能〔＝将来を見通す能力〕は不完全である」ことを前提とした場合の、将来の満足に関わるものである（Pigou 1952: 25）。

（7）この点および関連するいくつかの問題について、Sen（1985b）で論じた。

（8）この描写は三人称を含む文脈においてはいささか異なって見えるかもしれない。他者の欲求は、私たちがその充足に価値を認める優れた基礎となるかもしれない。これがありうるのは、他の人々が価値を認めるものを彼らが手に入れるということに私たちが価値を認めるからであり、そして彼らの欲求は私たちに彼らが価値を認めているものは何なのかを教えてくれるかもしれないからである（この証拠としての役割については後ほど議論する）。あるいはまた私たちが、彼らの幸福に価値を認めており、そして欲求充足が幸福につながると（そして欲求不満は苦悩の原因であると）知っている、ということもありえる。一人称のケースと三人称のケースの間の一つの重要な違いは、次の事実にある。すなわち、私たちは私たち自身が欲する物事に対して何らかの責任を有する（そして私たち自身が欲する物事を私たち自身が価値を認める物事に結びつける必要がある）が、他者の欲求に対してそのような直接的な責任を有するものではないのである。

（9）これらの問いについてはSen（1985b）においてより詳細に議論した。

（10）この問題についてはSen（1977a）において論じた。もちろん、選択関数が「非二項的（non-binary）」であることが示されている場合には、ここで問題にしているような二項関係は存在しないかもしれない。しかしより深刻な問題は、選択関数が二項的だろうという場合でさえ二項関係の解釈に関して生じるのである。

（11）Broome（1978）を見よ。

（12）またSuppes（1966）およびArrow（1963: 114-115）も見よ。スッピスとアローの分析は効用を「選択」とみなす枠組みの中で解釈できるが、必ずしもそうする必然性はなく、実際のところその形式的分析は効用の〔選択解釈のみならず〕それぞれの解釈と整合的なものである。さらに、その分析のほとんどは（これから探究する「ケイパビリティ・アプローチ」といったものも含めた）福祉の非効用的解釈にまで拡張可能である。

（13）最近になってCooter and Rappoport（1984）が、多くの伝統的な功利主義経済学者の研究が「物質的厚生」を基礎としていることについて論じている。

（14）社会の広い範囲に及ぶ剥奪（たとえば飢饉）について論じる際には、権原の欠損（とりわけ人口の大きな部分における食料獲得能力の欠損）に焦点を当てることが、その分析の端緒として適切であるだろうし、またこのような現象に対するより集計的かつ供給中心的な分析（たとえば利用可能な食料の総量の低下という観点からの分析）とシンプルな対照をなすだろう。権原に焦点を当てることの優位性については別の場所で論じられている（たとえばSen 1981およびTilly 1983を見よ）。しかし生活水準の見方としては、権原に集中するやり方はむしろ未熟で粗雑なものである。このアプローチが適切なものとなるのは別の文脈、たとえば飢饉の原因についての理解を得るといった場合においてである。

（15）この相違についての一つの興味深い事例として、イギリス労働者階級の生活水準に対して初期の産業化が与えた影響をめぐる、よく知られた論争を挙げることができるかもしれない。一七八〇年から一八二〇年にかけて、イギリス労働者階級の死亡率は非常に安定的に低下したが、富の水準はほんのわずかの上昇を見せたにすぎないようである。これに対して一八二〇年から一八四〇年にかけて、富の大きさは少し上昇したようだが、死亡率の低下は止まりそして逆方向への動きに転じた。この論争（正反対の動きも含めて）に対する一つの明快な説明として、Deane（1969: Ch. 15）を見よ。論争の基本線については、Hobsbawm（1957）、Hartwell（1961）、およびHartwell and Hobsbawm（1963）を見よ。

（16）「富の最大化」アプローチの二つの異なる見方について、Posner（1972）およびDworkin（1980）を見よ。

（17）これは厳密に言えば正しくない。もし貧困ラインが平均所得あるいは所得中央値に対して完全に相対的に（たとえばその六〇％として）定義されるとしても、貧困を取り除くことはなお可能である――ある種の不平等を取り除くことができれば、ということになるが。他方で、もし「貧困層」が、たとえば人口の最も下の十分位に属する人々として定義されるならば、貧困が取り除かれることがないのは明らかであろう。

（18）一九八四年六月二八日のイギリス国会議事録。このような見方を含め、貧困についての様々な見方がMack and Lansley（1985）において批判的に論じられている。

（19）この点についてはSen（1983a）で論じられている。

（20）この構成的多元性は、個人の生活水準に関連したものであるが、社会の生活水準に焦点が当てられる場合には、社会的集計のうちに含まれる構成的多元性の問題によって補われる必要があるだろう。後者の問いについてはSen（1976a; 1976b）で論じられている。それらの論文では、集計問題が所得および商品保有の空間で定義されているが、機能およびケイパビリティの空間でも対応する形で再定式化することが可能である。

訳注

［1］M3とはマネーサプライ（通貨供給量：国内に出回っている通貨の総量）の捉え方の一つ。大雑把に言えば現金通貨ともろもろの預金通貨の合計のこと（投資信託や国債は含まれない）。

［2］この部分はおそらく、一九八四―一九八五年のイギリスにおける、炭鉱の閉鎖計画の発表とそれに対して行われた炭鉱労働者の大規模なストライキを前提として書かれている。この件について論じた日本語の文献としては、たとえば早川征一郎『イギリスの炭鉱争議（一九八四―八五年）』（御茶の水書房、二〇一〇年）がある。

［3］文脈を考えて、原文のmay not be…はmay not have…の誤植と判断して訳出した。

［4］序数的（ordinal）な比較とは、大小の順序のみの比較であり、大小の程度についての比較を含まない。対して基数的（cardinal）な比較は、大小の程度についての比較を含む。

本文で論じられていることは次のようなことである。カレーとラーメンの双方がメニューに載っている状況でカレーを注文するという行動は、その人にとってカレーから得られる効用の方がラーメンから得られる効用より大きいということを含意するだろう（そうでなければラーメンを選んでいたはずである）。しかし、カレーから得られる効用の方が「どれだけ」大きいかは、行動だけからはわからないのが通常である。だがここで、期待効用の計算（ある事態から得られる効用×ある事態が生じる確率＝ある事態の期待効用）に照らして考えて、たとえば「三分の一の確率でカレー」のくじが選択されるとすれば、カレーから得られる効用はラーメンから得られる効用よりも三倍以上の価値があると推測できる（そうでなければラーメンを選んでいたはずである）。

[5] 文脈を考えて、原文の is not…は may not be…の誤植と判断して訳出した。

[6] 原語は second cousin で又従兄弟（またいとこ：父母のいとこの子）の意味だが、日本ではあまり日常的に用いる関係ではないので、「遠い親戚」とした。

[7] ここで主観主義とは対象の評価について当人の主観的判断に基づくべきだとする立場、対して客観主義とは対象の評価について人々の主観的判断とは独立の客観的基準に基づくべきだとする立場を指す。生活水準について言えば、（いかなる形であれ）当人が自分の生活をどう思っているかによって把握するなら主観主義の立場に立つことになり、当人の判断とは別にその人のおかれた状況がどうなっているかによって把握するなら客観主義の立場に立つことになる。

[8] 原語は"a $64,000 question"で、かつてラジオおよびテレビで放送されていた同名のクイズ番組に由来する言葉。正解のたびに賞金額が倍になっていき、最後の問題に正解すると最高額の六万四千ドルを獲得する形式だったことから、最難関の課題、最後の難問、といった意味で用いられる。

[9] 実際にスミスが述べていることを引けば次のようになる。「必需品という言葉で私が理解するのは、生活の維持に必要不可欠な商品だけでなく、その国の習慣がどうであっても、それなしには最下層の人びとでも、まともな人として失礼とさせるようなすべてのものを含んでいる。たとえば麻のシャツは、厳密に言えば、生活必需品ではない。ギリシャ人やローマ人は、麻がなかったのに、きわめて快適な生活をしていた、と私は思う。しかし現代では、ヨーロッパの大半をつうじて、まともな日雇労働者なら、麻のシャツを着ないで人前に出ることを、恥ずかしく思うだろう。それがないということは、極度の悪い行いでもしないかぎりとうてい陥るはずがないと推測されるような、不面目なほどの貧しさをあらわすものと想定されるだろう。同様にして、イングランドでは、慣習が革靴を生活必需品としている。男でも女でもまともな人なら、どれほど貧しくても革靴をはかずに人前に出ることを恥ずかしく思うだろう。」(Smith, A. 1976 [1776]. *An Inquiry into the Nature and Causes of the Wealth of Nations*, 2 vols., edited by R. H. Campbell and A. S. Skinner, textual editor W. B. Todd, in *The Glasgow Edition of the Works and Correspondence of Adam Smith*, Oxford University Press: vol. 2, 869-870. ／水田洋（監訳）杉山忠平（訳）『国富論』岩波書店（岩波文庫）、第四巻、二〇〇一年：二一七頁）このスミスの議論への注目は、センの著作のなかに頻繁に見られるものであり、たとえばSen, A. 2009, *The Idea of Justice*, Harvard University Press: 255-256.（池本幸生（訳）『正義のアイデア』明石書店、二〇一一年：三六八―三六九頁）などでも同様の指摘がなされている。

[10] 社会保障省（Department of Social Security）は当時のイギリスの組織であり、現在の健康&社会ケア省（Department of Health and Social Care）の前身の一つ（一九八八年に改組）。ローズ・ボイソンはサッチャー政権下の一九八三―一九八四年に社会保障省の大臣を務めた。

レクチャー2：生活とケイパビリティ

アマルティア・セン

生活水準の評価のための適切なアプローチを練り上げていくにあたって、主要な難問は二つある。第一に、そのアプローチは、私たちが生活水準の概念へと関心を抱くことになった動機に応えるものでなければならず、したがってこのアイデアの内容の豊かさを正当に扱うものでなければならない。それは広範な事柄に対して関連性を有するアイデアであり、何らかの、便利ではあるがしかし恣意的な方法でただ再定義して済ませることはできないのである。第二に、そのアプローチはそれでもやはり、生活水準の実際の評価に用いることができるという意味で、実践的でなければならない。このことは要求される情報および用いられる評価技術の種類に制約を課す。

これら二つの――関連性と利便性に関する――考慮は、私たちをある程度、異なった方向に導く。関連性は、生活水準のアイデアに本来的に備わっている複雑さを、可能な限り完全に受け入れることを要求するかもしれないが、他方で利便性は、無理なく可能である場合には、複雑さの回避を試みるべきだと提案するかもしれない。関連性は私たちに野心的であることを求め、利便性は抑制的であれと説くのである。これはもちろん、経済学においては非常にありふれた葛藤であり、私たちはこの葛藤に正面から向き合わなければならないのだが、といってそれをあまりに大げさに考えすぎてもいけない。

1　測定と動機

実際のところこの葛藤は、当の主題の先駆者たちにも十分に理解されていた。生活水準の統計学的測定をめぐる学問はウィリアム・ペティ卿の『政治算術』によって始まった、と述べるのは正当なことである。この本は一六七六年前後に書かれたが、出版されたのは没後の一六九一年であった。ペティの関心は広い範囲にわたった。彼はオックスフォード大学の解剖学の教授であり、そしてまたグレシャム・カレッジの音楽の教授でもあった。「二重底」の船も発明したのだが、それは悲しいかな、嵐の中に沈んでしまった。彼は幼児殺しの罪で絞首刑となった女性を蘇生させ、それによって不当な悪評を得ることになった。彼は『政治算術』をチャールズ二世に捧げたが、しかしその時分に出版するには、フランスに対してあまりに攻撃的すぎると判断されてしまった。

ペティが国民所得（national income）の概算を得ようとした動機が、人々の生活状況のより適切な理解のためであったことは明らかである。彼の統計分析は、「国王の臣民たちが、不満を抱く人々が言うほど悪い状況にはないことを示す」ことを意図してのものであった。人々の置かれた状況についての彼の見方は、「公共の安全」や「それぞれの人間の個別の幸福」を含むほど十分に広いものだった(1)。しかし彼はまた現実主義的でもあり、測定問題について、概算を得るに際しては富の大きさ以外をほとんど無視してしまうほどであった。富の指標としての国民所得は、まだいくぶん未発達な形においてではあるが、「所得法〔所得の大きさによって判断する方法〕」と「支出法〔支出の大きさによって判断する方法〕」の両方を用いて見積もられた。

実際のところ、ペティは測定の正確さが有する重要性について極めて熱心であった。彼は数量化に非常に長けた人物であり、「知的な議論」と彼が呼ぶところのものに強い疑いを持っていた。彼は誇りを持って次のように宣言した。自分は「比較級の言葉や最上級の言葉、そして知的な議論だけを用いるのではなく」、「数字、重量、測定を用いて」考えを述べることを選びたい、と。王立協会（Royal Society）の最初のメンバーの一人として、彼はあいまいな一般化に強く反対する議論を提起した。そしてある雄弁な声明の中で、ペティは次のように提案したが、それは私の思うところでは今日のより純粋な数量経済学者たちの幾人かの心を暖かくするであろう。すなわちペティは、王立教会における議論では「数字、重量、計測のいずれかを示すもの以外には、どんな言葉も用いないようにしてくれたまえ」と提案したのだ。[2]「知的な議論」の惨めな実践者はもしかすると、次のように主張したいという誘惑にかられたかもしれない。ペティの提案はそれほどの重みを持たず、すぐに数えることができて、その文字数はさしたるものではない、と。

しかしペティはもちろん、極めて正当なことだが、国民所得および生活水準についての研究において、測定をめぐる問題を揺らぐことなく視野に収めていた。彼は（生活条件や幸福と関係する）測定の動機に関して明確に説明しつつ、足し合わせる際に具体性がありかつ扱いやすいものを選ぶこととそれを両立させた。数量化へ焦点を当てる態度は、彼に続いて登場した勇士たち、すなわちグレゴリー・キング、フランソワ・ケネー、アントワーヌ・ラヴォアジエ、ジョゼフ＝ルイ・ラグランジュらによって維持された。ラヴォアジエは、彼のやり方で、ペティと同じくらい断固として数量化を要求した。彼の考えでは、数量化の欠落こそが政治経済学を悩ませているものなのだった。「この科学は他の科学と同じように形而上学的な議論から始まった。理論はこれまで発展してきた。しかしその実践は今なお揺籃期にあり、政治家はいつだって、自らの思索を事実に基礎付けていない」。[3] 彼はまた国民所得分析、および生活水準をめぐる定量的研究が、政治経済学におけるすべての論争に決着をつけ、実際のところこの科目を余分なものにしてしまうだろうという強い確信を持っていた。「この種の研究は、数ページのうちに政治経済学という科学の全体を収めてしまうだろう。あるいは、むしろ、この科学をもうこれ以上必要のないものにしてしまうだろう。結果が非常に明確ではっきりしているがゆえに、提起される様々な疑問は非常に容易に解決され、そこにはもはやいかなる意見の相違もなくなるだろう」[4]。

ラグランジュもまた、ひたむきな数量化へと専念する中で一つの革新を導入したのだが、その革新の意味は消費分析におけるごく最近の発展、すなわち、Gorman（1956）およびLancaster（1966）に由来する「特性（characteristics）」という観点からの分析の発展によって初めて完全に理解されうるものである。ラグランジュは消費において同様の役割を有する財を、特性という観点からそれぞれの等価物に置き換えた。すなわち、生鮮食品を栄養価に照らして小麦の単位に置き換え、あらゆる肉を牛肉の等価物に置き換え、そして善きフランス人のように、あらゆる飲み物をワインの単位に置き換えたのだった。

これに劣らず重要なこととして、ラグランジュは異なる消費者グループにおける異なる栄養素への異なるニーズ、すなわち、彼が職業や居住地といったものに関連付けたニーズと、「そのニーズに応じて」異なるグループに対して異なる比率で特定される野菜と肉への要求にも注目した[5]。先のレクチャーで議論した問題をめぐる文脈でとりわけ興味深いのは、ラグランジュが単に商品を特性へと還元しただけではなく、商品の価値を、非常に不完全なやり方ではあれども、それを消費する人々の生活に対してその商品が何をもたらすのかという観点からも評価していたということである。富と社会的機能の達成との間の様々な関係について示した先駆者は（第一レクチャーで論じたように）アダム・スミスであるが、スミスの同時代人であった数学者ラグランジュは、活動や居住地、および他の諸々の物事に基づく、食物摂取に関する身体的機能の可変性を探究するにあたって、同じように先駆者の役割を果たしたのだった。もし実質所得や生活水準に関する文献において機能およびケイパビリティという観点が無視され続けてきたのだとしても、その理由を、この方向に向かう初期の率先した取り組みの不在に求めることはできない(6)。

全般的に見れば、ラグランジュは食料統計によるほうが、国民所得というういっそう包括的な尺度よりも、一国家の福祉および貧困について優れたアイデアが得られるとも考えていたのであり、そして彼は、ラヴォアジエや他の人々においては無視されていた果物や菜園野菜なども含めた、食料についての可能な限り正確かつ網羅的な描写を手にすることに集中的に努力を傾けた。このようにラグランジュによって、実質所得の概算の動機の面での土台は、貧困者たちの生活状況の研究にとってとりわけ重要性を有する方向へと、強められそして洗練されたのだった。

国民所得という統計フォーマットは、ペティ、キング、ラヴォアジエ、そしてラグランジュらの時代から多大な発展を経ており、非常に多くの複雑性が、創意工夫と専門的技能によって処理されてきた(7)。国民所得計算が経済分析において実に多様な役割を負わされているのはもちろんであり、生活水準に対する関連性を容易に超えて、産出と活動についてのマクロ経済学的探究、貯蓄、投資および成長をめぐる研究、生産性および効率性の調査といった、様々な問題に影響を与えている。したがって、生活水準の評価とのつながりがしばしば相対的に薄いものとなるのも、驚くには当たらない。

実際のところ、生活水準の概念それ自体について探究するためには、私たちが国民経済計算から得られるあらゆるものに加えて、さらに他の種類の統計にも頼らなければならないということは、十分なほど明らかである(8)。これには二つの異なる理由がある。第一に、最初のレクチャーで論じたように、たとえそこに因果的なつながりがあったとしても、生活水準は単に富の量の問題ではない。第二に、富の、因果的あるいはその他の結びつきを通じた、生活水準の分析に最も適した形での特定の特徴付けの方法も、国民経済計算が答えなければならないまた別の目的にとっては、それほどには有用ではないかもしれない。生活水準を探究するにあたっては、よりいっそう専門化された計算が必要となるのである。

２　ニーズ、指標、根本的疑問

そのような専門化された計算は近年、実際に、いわゆる「ベーシック・ニーズ」アプローチの登場によって、また「社会的指標」の論者らによってなされた研究によって、おおいに推進されてきた。(9) それらの発展は、人々の「ベーシック・ニーズ」として把握されてきたものの充足に深く関連するような経済上の諸特徴の重要性を強調する傾向を有し、かつ、単なるＧＮＰの成長を容易に超え出るような社会的な達成の諸側面にも注意を払っている。それらの発展はある程度まで、〔先に見てきた〕先駆者たちを国民所得の尺度を発展させるよう導いたその本来のモチベーションへの、ある種の回帰とみなされうるものである。というのもそれらの発展もまた、ここまで見てきたように、良好な生活条件の基礎を探究する必要性によって大きな影響を受けてきたからである。

機能およびケイパビリティの観点から見れば、それらの発展は正しい方向へ進んでいる。もちろん、ベーシック・ニーズが典型的には（機能の達成ではなくむしろ）商品保有（commodity possession）によって定式化されるのは事実であるし、また社会的指標に含まれる非常に多くのインデックスが、問題となっている当の人々の機能およびケイパビリティとほとんど関係ないものであることもまた事実である。しかし、これらのアプローチの登場からもたらされた最終的なインパクトは、直接的かつ強力なやり方で、人々が送ることのできる生活様式の重要性へと注意を向けたことにあった。

ベーシック・ニーズを強調することが様々な方法で正当化されうるのはもちろんであり、「ベーシック・ニーズ」アプローチは問題のこの〔正当化の根拠という〕根本的な側面に深く踏み込むものではない。先のレクチャーで議論したピグーの「実質所得のナショナルミニマム水準」（Pigou 1952: Part IV, 758-767）のリストの中の項目（最低限の住宅設備、食料、医療ケア、教育などを含む）は、ベーシック・ニーズ・

アプローチが誕生したと思われるよりもずっと前に提起されたものであるが、明らかにベーシック・ニーズの列挙である。生活水準をめぐるあらゆる実践的分析は、それらの〔諸項目の〕特徴に何らかの注意を払わなければならない――その注意の究極的な正当化根拠が何であるかにかかわらず。ピグーの場合には、究極的な正当化根拠は効用であった。たとえ、第一のレクチャーで論じたように、ピグーは両者を結びつける分析を提供するには至らなかったとしても。

ベーシック・ニーズの戦略的な重要性に論争の余地はない。討論と論争に開かれているのは、この関心の基礎付けである。ベーシック・ニーズは、それを充足することが効用に寄与するという理由で、またその理由によってのみ重要なのだろうか？　もしそうでないなら、ベーシック・ニーズはなぜ重要なのだろうか？　正当化に関するこの疑問に密接に関連するのが、ベーシック・ニーズの把握を可能にする形式の問題である。ベーシック・ニーズは、人々がその保有を期待することが理にかなったものであるような商品によってこそ、最もうまく把握されるのだろうか（これがベーシック・ニーズ関連文献において選択される形式の典型であるのだが）？　このような〔商品保有の〕形式は、何らかの拡張された意味での富に、また通常理解される富の価値という観点からの正当化に、うまく合致するだろう。しかし、そのような正当化は、簡単に受け入れられるものだろうか？　なぜ私たちは富に関心を――それも単に戦略的にではなく根本的な意味において――持つべきなのだろうか？　人々がなすことができる物事、そうであることができる状態にこそ、関心を持つべきではないのか？　そしてもし、人々が実際に送っている、あるいは送ることのできる生活の種類に根本的な関心があるということが受け入れられるならば、このことは「ベーシック・ニーズ」が機能およびケイパビリティと一致するように定式化されるべきであることを示唆するに違いない。もし何らかの理由によりベーシック・ニーズが商品への要求の形で述べられるならば、その定式化の派生的かつ偶然的な特徴について適切に認識されなければならない。もし評価の対象が機能およびケイパビリティであるならば、商品への要求の形で捉えられたいわゆる「ベーシック」ニーズは、（本質的にではなく）手段的に重要なものとなる。主たる問題は人が送ることのできる生活の良さである。なんであれ生活条件のうちの特定の項目の達成のために必要とされる商品は、第一のレクチャーで議論したように、様々な生理学的、社会的、文化的、あるいはその他の偶然的特徴に応じて大きく異なりうる。[10] 生活水準の価値は生活の中に見出されるのであって、商品を保有することの中に見出されるのではない。後者が有する関連性は派生的でありまた変動するものである。

これらの区別をなす目的は、「ベーシック・ニーズ・アプローチ」を非難することにあるのではない。このアプローチは事実、GNPおよび経済成長を強調しすぎることに対する異議申し立てにおいて、積極的な役割を実際に担ってきた。とはいえ、このアプローチを十分に基礎付けられたものとみなすのは誤りである。それは土台を必要としており、そしてその土台は様々な方角からもたらされうる。（ピグーによって論じられたように）効用によって与えられるかもしれないし、あるいは（ここで論じたように）機能およびケイパビリティという価値によって与えられるかもしれない。商品への要求という形をとるベーシック・ニーズの典型的な定式化は、要求される富に照らして特定されるものであり、そして富全般と同様に、いわゆる「ベーシック・ニーズ」は分析の中間段階に属するものである。この役割を理解している（そして商品ベースの「ベーシック・ニーズ」が変数の取り方次第で変化してしまうのは避けられないことを認識している）限りにおいて、より深い疑問を見失うことなしに、ベーシック・ニーズ・アプローチの有用性を高く評価することが可能になる。

3　生活水準と福祉

私はここまでのところ、福祉（well-being）という概念と生活水準という概念の間の区別についてはっきりとした形では論じてこなかったが、先へ進む前にこの問題に向き合っておくべきだろう。この二つの関連した考えのうち、より広くそしてより包括的なのは福祉である。ピグーは「経済的厚生（economic welfare）」と「総体的厚生（total welfare）」とを区別しようとして、前者を「社会的厚生のうち、貨幣という物差しに直接あるいは間接に関係付けることができる部分」と定義した（Pigou 1952: 11）。彼が引いた区別は曖昧でありあまり助けにならないものであって、ピグーがそれを考案した当の目的に対しても資するものではないだろう。実際のところ、福祉のうち明らかに「非経済的な」側面にも、ある意味で「貨幣という物差しに直接あるいは間接に関係付けられる」ものがいくつかある。たとえば次のような「無作法な」質問を通じて――あなたは、孫娘に愛されるためにどれだけのお金を支払うつもりがありますか？　そのような支払いは現実になされることはないだろうが、しかし明らかに「経済的な」支払いの中にもそういった〔現実にはなされない〕ものがある（例：自宅の清掃に余計に費用がかかってしまうような都会特有の大気汚染を除去するために、あなたはいくら支払うつもりがありますか？）これらの質問に対する答えの中にある情報をどう解釈するかは、とても難しい問題である。同様に、時として現実になされる他の支払いは、当人の福祉とはまったく連動しておらず、それゆえ当人の「経済的福祉」の中に現れてはこないかもしれない。たとえば飢饉救援のためのオックスファムへの寄付は、当人が受け取る直接・間接の利益は一切なしになされうる。ピグーが「経済的厚生」と「総体的厚生」の間に区別を引こうとした理由は共感できるものではあるが、この区別は本質において紛らわしく、そしてその利便性は限定的である。

ピグーの区別を彼のはっきりした動機に合致する方向で改善する一つのやり方は、「物質的」な機能およびケイパビリティ（例：十分な栄養を得ていること）を他のもの（例：賢明であり満ち足りていること）から区別することである。私は他の場所で、これは着手すべき優れた〔検討の〕方法であろうと試論的に述べたが（Sen 1984a）、今ではそれほど確信を持っていない。心理的に十分に安定しているということは「物質的な」機能ではないだろうが、しかしこれを達成することが当人の生活水準に対して本質的な重要性を一切持たないと主張することは難しい。実際のところ、ある人がその人自身として送る（送ることのできる）生活に根ざして達成されるものは何であれ、他の対象から引き起こされたものよりも、その人の生活水準に直接に関係していると正当に主張しうる。このような線引きの仕方は少しばかり甘すぎると論じることは可能であるが、しかしこれまで提案されてきた代替案は明らかに狭すぎるように思われる。たとえば、ある剥奪がより大きな豊かさによって根絶可能かどうかを問う「経済テスト（economic test）」は十分に魅力的なものであるが、しかし（豊かさによって治療できない）不治の病によって死にゆく人の生活水準はその苦境によって直接には低下していない、と論じることは難しい。生活水準は、かなりの頻度で経済的手段に影響されるが、しかしこのことを生活水準の確固たる定義の基礎とみなすのではなく、経済的手段と生活水準の間の典型的な関係に関する重要な経験的主張とみなす方が、いっそう妥当である。

もしここで提案した区分線が受け入れられるならば、ある人の生活の特徴とは別の原因から個人の福祉へともたらされうる影響によって、ある人の福祉と生活水準の間にズレが生じてくるに違いない。たとえば、ある人が別の誰かの悲しみに際して感じる苦悩は、他の事情が同じであれば、その人の福祉を確かに減少させるが、しかしこのこと自体は、この人物の生活水準の低下ではない。このズレは実践的な議論の場において、非常に長いあいだ重要な役目を果たしてきた。たとえば紀元前三世紀、〔古代インドのマウリヤ朝の王であった〕アショーカ王は、彼の残した「碑文」のうちの一つ――人に対してもたらされる損失についての考え方を明確化するという文脈のもの――において、この区別に十分に明示的な形で言及している。「そして、もし愛情豊かな人々の〈その愛情が向けられた〉友人、知人、仲間たち、および親類を不運が襲ったとしたら、たとえ彼ら〔＝愛情豊かな人々〕自身の生活には不足がないとしても、やはり〈この不運は〉彼ら自身にとっての損失でもあるだろう」（エラーグディの碑文13、文章7 ; Sircer 1979: 34を見よ、〈　〉内はセンによる補足）。[1] ある人の福祉は様々な影響によって左右されうるものであり、そして生活水準について評価するという営為を形作るのは、あくまでその人自身が送る生活の特徴についての精査なのである。

この区別をまた別のズレ、すなわち、ある人の総体として達成したもの（彼が「行為主体（agent）」として達成したいと願っているものが何であるかにかかわらず）と、彼の個人的な福祉との間のズレをめぐる文脈で見てみることが役に立つかもしれない（私がデューイ・レクチャー（Sen 1985b）において詳しく述べたように）。三つの異なる概念が区別されうる。（1）行為主体性（agency）の達成、（2）個人的な福祉、そして（3）生活水準である。[11] 行為主体性の達成と個人的な福祉の間の区別は、人は個人的な福祉とは別の目標を抱くことがありうるという事実から生じる。たとえば、もしある人が、ある理想のために奮闘し、大きな個人的犠牲を払いつつも（もしかすると彼あるいは彼女の人生をそのために捧げさえしたかもしれない）これをやり遂げたならば、このことは、行為主体性の重大な達成でありながら、それに対応するような個人的福祉の達成を伴うものではないだろう。第二の区別、すなわち福祉と生活水準の間の区別に関して、私たちはこのどちらを考えるにしても個人的な福祉の達成を見る以外にないのだが、しかし〔そこには次のような違いが見いだせる。すなわち〕福祉については、手短に言って、その達成が当人の生活の特徴に関係しているのかどうかに関する追加の条件は一切ないのに対して、生活水準という概念はまさにそのような条件を厳密に伴うものである。

以前に書いた論文（Sen 1977a）では、行為の動機を分析する文脈で「共感（sympathy）」と「コミットメント（commitment）」を区別した。他の人を助けるという場面において、人は、他者の苦悩の縮減によって、最終的な効果としてより良い状態にあると感じるようになる――そして実のところ良い状態となる――かもしれない。これは行為が「共感」に基づいて促進されたとみなしうる（その行為が実際に選択された理由がそのことであるかどうかに関係なく）ケースであり、そしてこのケースは、当人自身の福祉の促進という一般的な領域の内側にある。[12] これと対照的に、「コミットメント」のケースは次のような場合に見られる。すなわち、ある人が、そうすることが総体として見て行為者自身の便益とはならないにもかかわらず、あること（たとえば他の人にとって有益なこと）をなそうと決断する場合である。このとき当の行為は、当人自身の福祉の促進という範囲の外側に置かれる（そして他の〔当人の福祉の促進とは別の〕目的に結びつけられる）だろう。過度の単純化の危険を承知で述べれば、私たちは次のように言うことができる。すなわち、「コミットメント」を無視し、注意を向ける先を狭めることで、私たちは行為主体性の達成から個人的な福祉へと移行し、そして「共感」を（そしてもちろん、「反感」およびその他の、当人の福祉に対してその人自身の生活の外側から加えられる影響を）無視し、焦点をさらに狭めることで、個人の福祉から生活水準へと移行するのである、と。このようなわけで、当人自身の生活に関連する範囲に狭められた個人的福祉は、その人の生活水準を反映するだろう。

この区分線はもちろん他の方法で引くことも可能だが、ここに大枠を描いた構図はそれ自体として興味深いものであり、そしてまた、生活水準という概念についての伝統的な関心の背後にあった動機に十分に関連するものでもあるだろう。ペティ、ラヴォアジエ、ラグランジュおよび他の人々を実質所得および生活水準の探究へと取り組ませることになった好奇心と興味は、人々の生活の本質の評価に関連するものであった。ここで扱ったような生活水準の見方はそのような動機に、とてもよく調和する。

4　評価と機能

ある人物の生活水準を評価する際、評価の対象は、彼あるいは彼女が送ることのできる生活の諸側面とみなすのが適切だろう。それゆえ、ある人物が達成する様々な「する（doing）」と「である（being）」は、潜在的にはすべて、その人の生活水準の評価に関係することになる。しかしこれはもちろん、桁外れの――無限でさえありうる――リストとなる。というのも人の活動や状態は、非常に多くの異なったやり方で把握することができる（そしてまた終わりなく細分できる）からである。それゆえ、評価対象として特定の「する」と「である」を同定することは、それ自体として評価的な営為――第一レクチャーで触れられた問題――である。機能のリストは、何が価値あるものなのか、および何が（価値を有する他の物事を追い求める上で非常に役に立つかもしれないとしても）本質的には価値を持たないものなのかについての見方を反映する。

生活水準の評価はもちろん、この最初の同定を超えて進んでいかなければならない。では、このような同定を超えてより特殊的な評価へと進んでいかない限り、生活状況全体についてはいかなる比較も行うことができない、ということになるのだろうか。こう考えることは、実際のところは正しくない。というのも、その〔最初の〕同定がそれ自体で支配部分順序を生み出す（つまり他のものについてのなんらの悪化も伴わずに何かしらの達成度の向上が確認される）かもしれないからである。支配関係による理由付け（dominance reasoning）の適切性についてはすでに第一のレクチャーにおいて一般的な観点から議論した。ここでは次の事実に注意を促すことで十分である。すなわち、評価対象の同定は、さらなる評価を伴うことはなくても、やはり私たちに生活水準全体についての部分的な尺度を与えてくれるのである。部分的なランキングは多くの比較に関して沈黙するだろうが――ある側面においては得られるものがあり別の側面においては失うものがある場合にはつねにそうなる――この尺度はなお、いくつかの重要な実践的用途を有しうる。階級の壁を超えて比較を行う場合や、裕福な人々の生活状況を非常に貧しい人々の生活状況と比較する場合、あるいはすべての局面における進歩（あるいは退歩）を伴う社会変化を評価する場合には、支配部分順序は生活水準全体のランク付けについて、実際に多くの明確な判断を下しうる。たとえ相対的なウェイト付けのより微細な諸側面についてはなお解決がされていないような場合であっても、この方向で得られるものを無下に退ける理由はない。

とはいえ、一般的に言えば、この最小限の表現を超えて進んでいこうと欲することには適切な根拠がある。評価対象を同定することは、ウェイトが厳密にどのようなものになるかを特定することなしに、それらの対象が正のウェイトを有すると論じることと同じである。ここから進むべき一つの適切な道筋は、〔複数の評価対象に対する〕一連のウェイトの数値を厳密に特定するという野心的過ぎる試みを選ぶのではなく、むしろそのウェイトを一定の幅に――それは非常に大きな幅であるかもしれないが――限定するというものである。ウェイトの幅が狭くなるにつれて、部分順序はますます拡張されるだろう。私は他の場所で、変数のウェイトと部分順序の数学的特徴について論じたことがあるが（Sen 1970）(13)、ここではその問題について踏み込むことはしないつもりである。とはいえ以下のことを強調しておくことは重要である。すなわち、選択は単にウェイトについて一切特徴付けを行わないかそれとも完全な特徴付けを行うかの間でなされるのではなく、様々な中間的可能性が存在し、そしてそれらもかなりの妥当性を有している、ということを。

しかし、たとえウェイトの特徴付けがどれだけ狭いものであったとしても、そのようなウェイト付けの出どころにもまたいくつかの種類がありうる。評価関数として適切なのは、生活水準が評価されているその人物の評価関数だろうか、それとも、受け入れられている「標準（standard）」を反映するなんらかの一般的な評価関数（たとえばその社会において広く共有されているもの）だろうか？　ここで第一に指摘しておくべきポイントは次のことである。すなわち、これら二つの一般的アプローチは、「自己評価（self-evaluation）」と「標準的評価（standard-evaluation）」と呼ぶことができるが、両方がそれぞれに、ある種の適切性を有しているということである。自己評価のアプローチは、〔その生活水準が検討の対象となっている〕当の人物が下す、他の人の状況との比較における（彼自身の価値判断に沿った）自分自身の生活水準についての判断を、私たちに教えてくれるだろう。それに対して標準的評価のアプローチは、その人物の生活状況を、何らかの（その社会において共通に受け入れられている価値を表現するような）社会的標準の観点から、一般的なランキングの上に位置付ける。私は、何を探究しているのかという文脈を特定することなしに、これら二つのどちらが一般的に言ってより優れたアプローチなのかを問うことに意味があるとは、考えていない。どちらがより優れているかは、私たちが何を、いかなる理由で比較しようとしているのかに依存するに違いない。

標準的評価アプローチは、たとえばあるコミュニティにおける貧困の程度を「現代的標準（contemporary standards）」の観点から語ろうとする際に、非常に多くの用途を有する。私は他の場所で、このタイプの比較の適切性について論じようと試みたことがある（Sen 1981: Ch. 2. 3. esp. 17–19）。現代的標準の観点から見た貧困をめぐる、興味深くそして重要な経験的研究が、ジョアナ・マックとステュアート・ランズレイによって近年出版された本の中に見出される（Mack & Lansley 1985）[14]。この研究において、貧困に関する現代的標準は、広範になされたアンケート調査を基礎に決定された。その調査からは、いくつかの特定の商品に対するニーズおよびそれに関連する機能に関する回答において、かなりの程度の一致が得られている。

貧困者の同定は最低限の生活状況に焦点を当てる営為であるが、現代的標準を用いる同様のアプローチは、もちろん、様々な人物あるいはグループの生活水準全体をランク付けるためにも用いることができる。この一般的なアプローチの本質的な特徴は、様々な評価対象それぞれの重要性についての判断に関する、何らかの画一性（そのような画一性が存在するとして）を頼りにしていることにある。標準的評価アプローチは、生活水準をめぐる研究において、多くの異なる方法で用いることのできるものである。

自己評価アプローチは、それぞれの人物の、他の人々と比較した彼あるいは彼女自身の生活水準の評価に関心がある[15]。当たり前のことだが、人は、たとえ一般的な「現代的標準」の観点からすれば彼の生活水準は隣人よりも低いと判断される場合であっても、自らの生活水準について隣人よりも高いとみなすことがありうる。ここに何のパラドックスもないことは明らかであって、それというのも二つの異なる問いかけは容易に、二つの異なる回答を受け取りうるものだからである。現代的標準が広く共有されている（あるいは適切な熟慮ののちには広く共有されるだろうと思われる）ならば、それら二種類の回答は典型的には乖離することなく、自己評価アプローチは標準的評価の手続きと同じ結果を生み出す傾向を有するだろう。

5　評価の諸側面

生活水準の評価における対象の価値付けは多くの複雑な問題を引き起こす。ここはそれらの問題のうちの多くを詳細に探究するような場ではないのだが、とはいえこの課題のいくつかの側面について少しばかりの簡単な見解を示すことを許していただければと思う。

第一に、〔当該社会で〕受け入れられている社会的標準を用いることは、主観的な特徴と客観的な特徴の両方を備えている。このアプローチは、判断の構成要素が特定のコミュニティにおいて人々が抱いている意見であるという意味において、主として主観的なものであるように見えるかもしれない。しかしこの問題をより深く分析するならば、なぜ人々がその意見を抱いているのか、またなぜ人々がその価値を大事にしているのかをめぐる問いへと私たちは進まなければならない。さらに（そしてより直接に）、現代的標準を研究する社会科学者の観点からは、人々の抱く意見は第一義的には事実の問題であり、評価という問題に対して自分自身の主観的判断をおおっぴらにする必要はない。主観的な特徴と客観的な特徴の間のバランスは、この種の〔社会的標準を用いる〕実践においてあまりに複雑すぎるものであり、ここで手早く整理してしまえるものではないのだが、しかし次のことを強調しておくことには意義があるだろう。すなわち、現時点での意見に依存しているにもかかわらず、この実践には、その認識論的な特徴を歪ませることなしには無視しえないような、重要な客観的性質があるのである。私は他の場所でこれらの疑問について論じようと試みたことがあるので、ここではもうこれ以上探究しないことにしたい（Sen 1981: Ch. 2, 3; Sen 1983b）[16]。

第二に、自己評価は、その人物の効用と混同されてはならない――快楽、欲求充足、選択のうちのどの解釈においても。というのも、第一レクチャーで論じたように、自己評価はその真髄において評価的な実践であるが、効用のいかなる解釈もそれ自体、そういった実践ではないからである。この区別は、しばしば功利主義者によって提起される次の論点を取り扱う際にとりわけ重要なものとなる。すなわち、効用ベースの評価からのいかなる乖離も、パターナリズムを含意することにならざるを得ないのだ、と――「その人自身の効用を拒否することができるあなたは一体誰なのか？」〔と功利主義者は問う。〕目下の問題はこの問いよりも複雑である。というのも、その人自身による評価は、幸福や欲求、あるいは選択といった形でなされる彼自身による効用のランク付けとの相違を含みうるからである。パターナリズムが生じる時、その問題は（効用ではなくむしろ）その人の自己評価の拒否に関連するものであるに違いない。

第三に、効用についての満場一致に依拠するパレート原理の拒否には、何らかのパターナリズムを伴う必要がある、といったことは――〔上のパラグラフで論じたのと〕同様の理由によって――一切ない。実際のところ、福祉あるいは生活水準についての自己評価が、明確に反パレート主義的な行為の道筋を指し示すというのはかなりありそうなことである。というのも、あらゆる支配部分順序の説得力は、その部分順序が基礎を置いている対象の適切性から派生してくるものだからである。もし個人の効用が有する適切性に疑問が付されるならば、それに応じて、社会的行為に対するパレート原理の説得力はその土台を崩されることになる（Sen 1970; 1979b; 1983c を見よ）。

第四に、生活水準の評価においては、価値を認められた機能およびケイパビリティに関して、あらゆる代替的選択肢についての完全な順序と、非常に不完全なものでありうる支配部分順序との間に、多くの中間的な立場がある。先に言及したように、相対的なウェイトは、厳密に決定することはできないかもしれないが、〔ある特定の〕幅を持った範囲の上に収められることで、支配部分順序よりもいっそう拡張的な（しかし完全な順序付けには達しない）部分順序を生み出すかもしれない。生活水準の観点からライフスタイルについてのあらゆるペアを比較することが不可能であるとしても、そこには特に恥ずべきことは何もない。評価における曖昧さは（「現代的標準」を同定する場合においてさえ）、いくつかの比較についてははっきり述べる一方で、いくつかの比較については沈黙することを要求するかもしれない。くだらないおしゃべりができないというのは、大した欠陥ではない。

第五に、生活水準全体のランキングは、この評価を把握する方法のうちの一つでしかない。生活水準の特定の要素の評価は、時として〔全体のランキングと〕同じくらい興味深いものとなりうる。たとえば、栄養摂取の水準において改善があったが住居の水準は低下したことが明らかになった場合、それ自体が十分に興味深い評価でありうる――このことが「全体として見て」改善と悪化のいずれを示しているのかを私たちが決定できなかったとしてもなお、そうでありうる。集計への情熱は多くの文脈において大きな意味を持つが、それらが無駄で的外れなものになる文脈もまたありうる。実際のところ、生活水準についての主たる見方は、先に論じたように機能およびケイパビリティのあるまとまりに目を向けるもの〔＝機能やケイパイリティのそれぞれの集合の評価〕であり、その全体としてのランキング〔＝機能やケイパビリティの集合の間での優劣づけ〕は副次的な見方となる。この第二の見方にも用途はあるが、それにしか有用性がないというわけではまったくない。多様性に耳を傾けるにあたって、集計というやり方へとつねに手を伸ばす必要はないのである。

6　機能かそれとも所得か

最後の論点は一定程度、直接の実践的な関連性を有するものである。生活水準について経験的な比較をなす際、GNPあるいはGDPのような商品ベースの集計尺度を用いることへの誘惑は強い。その理由は、部分的には、これらの尺度が精密に集計されており、かつ使い勝手の良い完全性を有しているように思われることにある。一見したところでは、GNPはあらゆるものを数え入れる。次のような疑問が出てくるのは当然である——あらゆるものとは、いかなる空間においてか？　典型的には、商品、というのがその答えである。機能および生活状況がその答えとなることは、おそらくありえない。

それでもなお、様々な商品の束は、観察された価格を用いることで、GNPという尺度に過不足なく集計されうるように思われるかもしれない。単純かつ直接的な集計方法をなんら用いずに機能の多様性を取り扱うことに付随する曖昧さをふまえれば、このやり方に魅力を感じる人も多くいるだろう。しかしこのことは、もし私たちの本当の関心が生活状況および機能にあるのだとしたら、果たして意義を有するだろうか？　なぜ私たちは、厳密なやり方で間違っているほうが良いとし、漠然と正しくあるのを拒否しなければならないのだろうか？　先に論じたような、関連性と使用の際の単純性との間の葛藤は、経済学的な測定および評価における真に困難な葛藤であるが、とはいえ上に述べたような形で関連性よりも使用の際の単純性を優先すべきとする理由は、理解するのが難しい。

折よくも、生活水準のますます多様な特徴付けが、個別的に提示される様々な要素を伴いつつ、多くの実践的使用の場面においてさしたる困難なしに利用可能である。例として、生活水準の向上という観点から中国とインドを比較するという、頻繁に議論されてきた主題について考えてみよう。中国経済は、世界銀行の『世界開発報告』（World Development Report）一九八四年版によれば、一九六〇年から一九八二年までの間に一人当たりＧＮＰにおいて年間五・〇％の成長率で進んできたが、これに対して同じ時期のインドの成長率はたった一・三％であった。このような比較説明は、二つの国を訪れる人々が一般的に受け取っている印象とも合致するように思われる。それゆえ、頭を悩ます問題はなく、ＧＮＰは十分に適切な指標であるように思われるだろう。

しかし、ＧＮＰの成長による比較説明は、多くの精査に耐えるものではない。同じ『世界開発報告』において、一九八二年の中国の一人当たりＧＮＰは同年のインドのそれよりも一九％高く、そして両国のＧＮＰ成長率を用いて逆算していくと、二つの国のＧＮＰに関する情報が内的に一貫したものとなるためには、一九六〇年のインドの一人当たりＧＮＰが同年の中国のそれよりも五四％高くなければならないという驚くべき結論に至る。これはもちろん、ナンセンスでしかない。というのも、その期間におけるＧＮＰについてのあらゆる説明はインドと中国の水準が似たようなものであったことを示しているし、そして実際にサイモン・クズネッツの推定によれば、中国の「一人当たり生産物」はその期間の周辺において（厳密に言えば一九五八年において）インドのそれよりも二〇％高いからである（Kuznets 1966: 360-361）。ＧＮＰおよびＧＤＰの計算が有する見せかけの厳密さによって生み出されてきたものは、人々を混乱させる描写以外の何物でもない。

幸運なことに、もし生活水準を富の量によって捉える見方が拒否され、機能および生活状況を用いる見方が選ばれるならば、このことはそれほど大きな災難ではない。多くのそしていっそう重要な機能に照らして見れば、生活水準に関する中国の達成度はインドのそれよりも明らかに高い。平均余命を見れば、中国の人々は六七歳であるが、インドの人々は悲惨にも五五歳だとある推定は語っており（World Bank 1984: Table 1）、他の推定によればさらに低くなる。中国の人々のうち三分の二以上が文字の読み書きの能力を持つのに対して、インドの人々は三分の一のあたりを行ったり来たりしている（World Bank 1983: Table 1）。中国とインドの間で生活水準の達成度に何が起きてきたのかを私たちに教えてくれるのはこのような種類の比較であり、重要な機能についての断片的な情報でさえ、ＧＮＰの集計値が奇妙な厳密さで描くよりも多くのことを教えてくれる。たとえば飢饉を避けることができていない――甚大なものが一九五九―一九六一年の間に生じている（Ashton *et al.* 1984を見よ）――とか、市民がニュースや情報の様々なソースへのアクセスを与えられていないとかいった点において、中国の人々はインドの人々よりもうまくやれていないが、そういった範囲に関してもいくつかの基礎的な機能（Sen 1983b）に注目することで比較を行うことが可能である。主たる論点は、生活水準に関する成功および失敗は生活状況の問題なのであって、ＧＮＰが一つの実数において捉えようとしているような、相対的な富の全体像の問題ではないということである。

また別の実践的使用について取り上げよう。インドのような貧しい経済における性別バイアスの広がりについて見る際には、家計所得の数字からは、あるいは家計消費パターンの数値からでさえ、ほとんど何の助けも得られない――アンガス・ディートン、ジョン・ミュールバウアー、およびその他の人々は、熟練した腕前によってそれらの数値から可能な限り多くのものを絞り出してきたのだが（Deaton and Muellbauer 1980; Deaton 1981）。一つには、家族の中の誰が厳密にどれだけのものを（たとえば食物を）消費しているのかを私たちは知らないし、またもう一つには、私たちの主たる関心は商品の消費にではなく機能にあるからである。それゆえ、この基礎的かつ根本的なレベルでの性別バイアスを評価する際に、〔所得や消費ではなく〕死亡率、罹病率、栄養不良などの比較による説明へと目を向けるのは自然なことであろう。

折よくも、これらのデータは取得することが容易であり、そういったストーリーについて雄弁に教えてくれる。インドに関して浮かび上がってくる描写は、大いに不安を掻き立てるものの一つである。ほとんどの年齢グループにいてみられる〔男性に比べて〕より大きな女性死亡率（生まれてすぐの新生児の段階と三五歳以上のグループを除く）。総人口における男性に対する女性の比率の低下傾向。健康度の調査の結果判明した女性のより大きな罹病率。男性と比べて女性に、また男の子に比べて女の子に体系的にみられる医療サービス利用の少なさ。田舎暮らしの男の子に比べて田舎暮らしの女の子にみられるより大きな栄養不良の兆候――これは同じ村、あるいは時として同じ家庭においてもみられるものである（例としてKynch and Sen 1983; Sen 1984a: Ch. 15, 16; Sen and Sengupta 1983; Gopalan 1984を見よ）。

もし生活水準における性別バイアスが私たちの研究の対象であるとするならば、たとえ性別バイアスの集計的指標を作成することに困難があるとしても、グループそれぞれの生活状況に直接に目を向けた上で判断を形成することには、大きな意味があるように思われる。生活水準をめぐる構成的多元性は、形式的な集計を用いるだけでなく、様々な評価対象を同時に評価していくこともなされてはじめて対処できるものなのである。

7　ケイパビリティと機能

私はこの第二レクチャーのほとんど最後の最後に至るまで、一つの困難な一般的問題を棚上げにしてきた。それは、生活水準の評価におけるケイパビリティと機能それぞれの役割をめぐる問いである。一つの機能は一つの達成であり、それに対してケイパビリティは達成する能力（ability to achieve）である。機能〔の束〕は、ある意味では、生活状況といっそう直接に関連する。というのも、まさにそれらが生活状況の様々な側面だからである。これに対してケイパビリティは、積極的な意味における自由の概念である〔2〕。すなわちそれは、あなたが送ることのできる生活に関して現実に有している機会のことである(17)。

機能と実際の生活との密接な連関を考えると、生活水準を評価するにあたってケイパビリティよりも機能に集中することが理に適っているように思えるかもしれない。私の考えるところでは、これは非常に広い範囲において、正しい。しかし完全に正しいというわけではない。ケイパビリティもまた直接的な役割を有するのである。というのも、生活水準という考え方には、自由という観点から完全に切り離せない一つの側面があるからである。私は様々なライフスタイル、A、B、CおよびDから選択することができ、そしてAを選ぶとしよう。次に、他のライフスタイル（B、CおよびD）は私には利用不可能となってしまったが、しかしなおAを選ぶことはできると考えてみよう。私の生活水準は何も変化していないと述べることもできるかもしれない。というのも、いずれにせよ私が選ぶ選択肢はAだからである。しかし、次のように論じるのは馬鹿げたことではない。すなわち、この自由の縮減によって、私の生活水準にはいくらかの損失があるのだ、と。

この考察に表現を与える一つの方法は、次のように論じることである。すなわち、生活水準の価値は様々なタイプの生活を送ることのできるケイパビリティによって与えられるのであり、実際に選ばれたライフスタイルに対して特別の重要性が付与される一方で、他の選択肢の利用可能性もまた一定の価値を有するのだ、と。この問い〔＝選択されない選択肢の消失が生活水準を低下させることをどう把握するかという問い〕を理解するにあたって、これとはまた別の、おそらくよりいっそう啓発的な方法は、利用可能な代替的選択肢にも注意を向ける形へと機能が「洗練される（refined）」ことを要求する、というものである。Bもまた利用可能な中でAを選ぶことは、そうでない場合にAを選ぶこととは異なる「洗練された」機能である、と論じることは可能である。

　この対比を明らかにする上で、一つの例示が助けになるかもしれない。ともに飢えに苦しんでいる二人の人物がいると考えて欲しい――一人は一切の代替的選択肢を持たず飢えているが（彼女は非常に貧困である）、もう一人は選択によって飢えている（彼は非常に宗教的な特定のライフスタイルを選んでいる）。ある意味では、栄養摂取の観点から見た彼らの機能の達成度は、厳密に同じであるかもしれない――二人とも栄養不良である、しかもその程度においてまったく同じであるとさえ仮定しよう。しかし一人は「断食をしている」のであり、もう一人はそうではない。宗教的に断食を行う人は飢えることを選んでいるが、貧困のゆえに飢えている人は、飢えるか否かをめぐる選択を一切行っていない。洗練された機能という空間においては、代替的な機会は機能それ自体の特徴付けの中に現れうる（Sen 1985a: Ch. 7; Sen 1985b を見よ）[3]。そしてこのとき、ケイパビリティという考えは、洗練された機能の同定のうちに部分的に反映されるのである。

　実際のところ、機能とケイパビリティの間の関係は一見して理解されるよりももっとずっと複雑である。生活状況は、ある意味で、実在する事態である――こうであるとか、ああするとか。機能はそのような事態の様々な側面を反映するものであり、そして実現可能な機能の束の集合が、ある人のケイパビリティである。とはいえ、もろもろの《である》や《する》の中には、選択するという活動も含まれるのであり、それゆえ機能とケイパビリティの間には同時的かつ双方向の関係性がある。もちろん、ひとたび機能がそれにふさわしいだけの豊かさをもって特徴付けられたならば、私たちは再び次のように尋ねることができる。この人物に対して、いかなる代替的な「洗練された」機能の束が開かれているのだろうか？　と。しかし〔この問いにどう答えるかにかかわらず〕、そこに至るまでのプロセスにおいて、代替的な機能について（したがってケイパビリティについて）考慮すべき理由はすでに受け入れられているのである。

〔機能の〕特徴付けに関する形式的な諸問題は、興味深いものではあるが、おそらく究極的にはそれほど重要なものではない。これらすべて〔の考察〕のうち本当に意味があるのは、何らかの形の自由を対象とする考察が有する正統性を、生活の条件の不可欠の要素として受け入れることである(18)。それゆえ、広く定義されたケイパビリティ・アプローチの関心は、人が選択することのできる機能の束の集合がいかなるものであるかを確かめることだけに向けられているのではない。それはまた機能それ自体を、ふさわしいだけの豊かさをもって捉え、自由の適切な諸側面を反映するものとみなすことにも向けられている。生活水準に対するケイパビリティ・アプローチの構成的多元性は、この点にも注意を払わなければならないのである。

8　結　論

もう終わりにしなければならない。私は生活水準の把握とその評価について、ある特定の見方を提示しようと試みた。富や効用など、非常に広く用いられているいくつかのアプローチに対して反論を述べた。「自己評価」の観点からの評価と「標準的評価」による評価とを対比させた。そしてまた、機能およびケイパビリティの非集計的な特徴付け、および集計的評価における部分順序について、〔それらが当の問題に対して〕適当な関連性を有することを論じた。

このアプローチは、経験的な利用についても十分に広い射程を有するものと思われる。このように述べたからといって、経験的研究と連携するためのあらゆる改良が容易であるということを意味するわけではもちろんない。重要な第一歩は、そのような実践が有する特徴について明確に理解することである――それは何であり、また何でないのか、それが要求するものは何であり、そして何がそれほど問題ではないのかを。

ウォルター・バジョットはかつて次のように述べた。「人間本性に対する最大の苦痛の一つは、新しいアイデアによってもたらされる苦痛である。」幸運なことに、ここでそのような苦痛が引き起こされる必要はない。生活水準は古いアイデアであり、そして私が論じようと試みてきたのは、このアイデアが求めるところについて考察した先駆者たち――ペティ、ラヴォアジエ、ラグランジュ、スミス、マルクス、ピグーでさえそうであり、さらにその他の人々もいる――が、この概念の背後にある複雑な諸問題、およびこの概念が有する様々な関連性をまさに指摘していたのだということであった。私たちもまたしばしば惑わされてきたという事実があるからといって、これまでに獲得されてきた先達の知見の価値を見逃してしまってはならない。当然のことだが、進むべき道は長いのである。

原注

（1）これらの引用は、C・H・ハルによって編集されたペティの著作集から引いている（Hull 1899: 313）。以下の他の〔ペティからの〕引用も同様である。

（2）Hull（1899: lxiv）を見よ。

（3）『ラヴォアジエ作品集 *Oeuvres de Lavoisier*』（Paris, 1893）, Vol. 6, 404-405。英語への翻訳は Studenski（1958: Part 1, 70）から。

（4）『作品集』（1893）, Vol. 6, 415-416。英語への翻訳は Studenski（1958: Part 1, 71）から。

（5）Studenski（1958: Part 1, 75-76）で議論されている、E. Daire and de Molinari, *Mélanges d'économie politique*（Paris, 1847）および C. Ganilh, *La Théorie de l'économie politique*（Paris, 1815）を見よ。

（6）一般的な意味においては、社会制度を評価する際の「機能」の観点は、実際のところさらに前、少なくともアリストテレスにまで遡ることができる（彼の『政治学』および『ニコマコス倫理学』を見よ）。このアリストテレスとのつながりの存在と重要性に注意を促してくれたことについて、私はマーサ・ヌスバウムに感謝している。

（7）直面した問題と提案された解決について様々な種類のものがあるうちのそのいくつかとして、Meade and Stone（1957）、Samuelson and Swamy（1974）、および Hicks（1981）を見よ。また Kuznets（1966）、Hicks（1971）、および Kravis, Heston and Summers（1978）も見よ。

（8）生活水準の歴史的分析に対して身体の大きさに関するデータを啓発的に利用した例は、たとえば Floud and Wachter（1982）や Fogel, Engerman and Trussel（1982）のような、近年の数多くの貢献のなかに見ることができる。現代の栄養不足および生活水準の評価に対しての身体の大きさに関するデータの利用もまた、いくつかの経験的研究の中に見出される。インドにおけるそのような応用の例として特に重要なものに Gopalan（1984）、Sen and Sengupta（1983）、そして UNICEF（1984）がある。

（9）それらの文献は今ではもう非常に膨大なものとなっている。ベーシック・ニーズおよび社会的指標についての議論および例の一部として、Adelman and Morris（1973）、Sen（1973）、Streeten and Burki（1978）、Grant（1978）、Morris（1979）、Chichilnisky（1980）、Streeten *et al.*（1981）、そして Wells（1983）を見よ。

（10）分配的正義の理解においてニーズの多様性が有する関連性についての興味深い研究として、Yaari and Bar-Hillel（1984: 8-12）を見よ。

（11）福祉と生活水準の間の区別をこのように明確化する方法を提案してくれたことについて、私はバーナード・ウィリアムズに感謝している（私の理解する限りでは、彼はこれとはいささか異なる仕方で境界線を引いたのだけれど）。ウィリアムズの提案は私のタナー・レクチャーに続いて行われたセミナーにおいて出されたのだが〔本訳書一五七―一五八頁〕、私は〔書籍化にあたって〕レクチャーそれ自体の中でそのアイデアを自由に追求させてもらった。というのもその提案は私の推論の筋をよりいっそう理解しやすくかつ評価しやすくしてくれるものだからである。関連する問題について、私の「リプライ」の一八〇―一八二頁を見よ。

（12）しかしながら、ある人の福祉がその人の行為によって促進されることと、その行為がそのことを理由として選択されることとを区別することは重要である。この点について Nagel（1970）を見よ。ここで私たちは第一義的には〔行為の〕動機ではなく効果に関心を持っているのであり、したがって「共感」と「コミットメント」の間の区別のここでの利用は、Sen（1977a）におけるその利用とはかなり異なるものである。

（13）Basu（1979）、Blackorby（1975）、および Fine（1975）も見よ。

（14）彼らの研究の多岐にわたる結論のうちの一つは、現代的標準の観点から同定された最低限の生活条件に、イギリスにおいては五〇〇万人の成人および二五〇万人の子どもが未到達だということである。これは人口全体の七分の一にあたる。van Praag, Hagenaars and van Weeren（1982）も見よ。

（15）自己評価に関するいくつかの興味深い研究として、Cantril（1965）、van Praag（1968）、Easterlin（1974）、Simon（1974）、および van Herwaarden, Kapteyn and van Praag（1977）を見よ。また Allardt（1981）と Erikson *et al.*（1984）も見よ。

（16）James（1984）も見よ。

（17）自由の大きさは代替的選択肢の数によってのみ判断されてはならない、ということに注意してほしい。それは代替的選択肢の〔数だけでなく〕良さにも依存する。単純なケースを考えよう。機能の束 x が y よりも上位にあり、y が z よりも上位にあるとするならば、このときケイパビリティ集合 {x, z} は {y, z} よりも上位にある。同様に、ある重要な意味において、集合 {x} は {y} よりも上位にある。この議論は自由の「反事実的」選択に関連性を有する（「x と y の間で選択するとしたらあなたはどちらを選びますか？」）。この点について、Sen（1985a; 1985b）を見よ。

（18）ある人物の生活〔の良さ〕を判断する上での自由の重要性は、マルクスによって鋭く強調されたものである。彼が論じた未来の自由社会においては、「……私は、今日はこれをし、明日はあれをするということができるようになり、狩人、漁師、牧人、あるいは批判家になることなしに、私がまさに好きなように、朝には狩りをし、午後には釣りをし、夕方には牧畜を営み、そして食後には批判をするということができるようになる」（Marx and Engels 1947［1846］: 22、邦訳四四頁）。

訳注

［1］エラーグディ（Erragudi）はインド南東部、アーンドラ・プラデーシュ州にある地名。アショーカ王の碑文はインド各地に残されている。

［2］ここでセンは、「積極的自由」と「消極的自由」との間の有名な区別を前提としている。この区別はアイザイア・バーリンによってなされたものであり、積極的自由は実際にものごとを行うことができること、消極的自由は行為に対する外的な障害が存在しないことを指している。アイザイア・バーリン『自由論（新装版）』（小川晃一・小池銈・福田歓一・生松敬三訳、みすず書房、二〇一八年）に所収の「二つの自由概念」が該当する文献である。この区別をめぐるバーリンの議論に含まれる論点を明瞭に整理したものとして、アダム・スウィフト『政治哲学への招待：自由や平等のいったい何が問題なのか？』（有賀誠・武藤功訳、風行社、二〇一一年）の第二章「自由」がたいへん有益である。

［3］「洗練された機能」について補足したい。センが述べているのは、機能の記述を、その中に背景となる選択肢を含むように変更するということである。そもそも機能は「Aできること（であること）」として把握されるが、これでは何ができ

る（何である）のかという点しか記述できない。これをより詳細にして「A, B, C, …が選べる状況でAできること」という形で把握することにすれば、私たちは機能を背景とともに記述することができる。これが「洗練された機能」の意味である（Sen 1985a の翻訳にある「日本語版への新しい手引き」参照）。

これは機能の定義をむやみに拡張しているように見えるかもしれないが、センが挙げる「断食」という例を見れば、むしろ背景を機能それ自体の構成要素とみなすことは直観的にも説得力をもつことがわかる。というのも、断食の「定義」とは、「食物を摂取することができる状況でなお食事を取らないこと」であり、単に「食事を取らないこと」とだけ記述したのでは断食の説明にならないからである。このような行為を「機能」の形式で把握しようとするならば、そこに背景を取り入れることは自然な（必然性のある）拡張であるとみなせるだろう。なお訳者なりに他の例を挙げるなら、「駆け落ち」（愛する人と結ばれることが現状では困難な状況において別の場所で共に暮らすこと）、「安楽死」（延命する余地がある状況であえて死を選ぶこと）なども、代替的選択肢に関わる背景を含み入れて考えることなしには、その本質を把握できないと思われる。洗練された形での把握を必要とする活動は、決して少なくない。

生活水準をめぐるセン教授の議論について

ジョン・ミュールバウアー

1　イントロダクション

「生活水準」に関するセン教授のレクチャーをめぐるディスカッションにお招きいただいたことを、心から嬉しく思う。私が非常に多くの点においてセンの見解に同意していることをふまえると、そもそも議論の余地がどれほどあるのかについて戸惑ってしまうところである。しかしながら、この主題は経済学の核心にあるものであり、そしてセンの分析および彼自身によるその応用の双方が非常に実り多いものであったため、問題はどこから始めるかではなく、どこで終わらせるかということにすでに移っている。

単純化し過ぎてしまうリスクを承知の上で、センの議論のうち応用経済学者にとって必須のポイントであると私が考えているところを要約させてもらいたい。生活水準の比較は伝統的に、ある商品バスケットと別の商品バスケットとを比較し、その関係を単一比率にまとめて表現するという試みであった[1]。たとえば、バスケットAはバスケットBよりもx％だけ良い（「いっそう豊かである」）、というように。これは、センが生活水準の「富裕（opulence）」説として特徴付けたものである。効用関数が不変であるなど単純化のために用いられる伝統的な仮定のいくつかを置くと、富裕説は生活水準の効用説あるいは満足説と等しいものとなる。

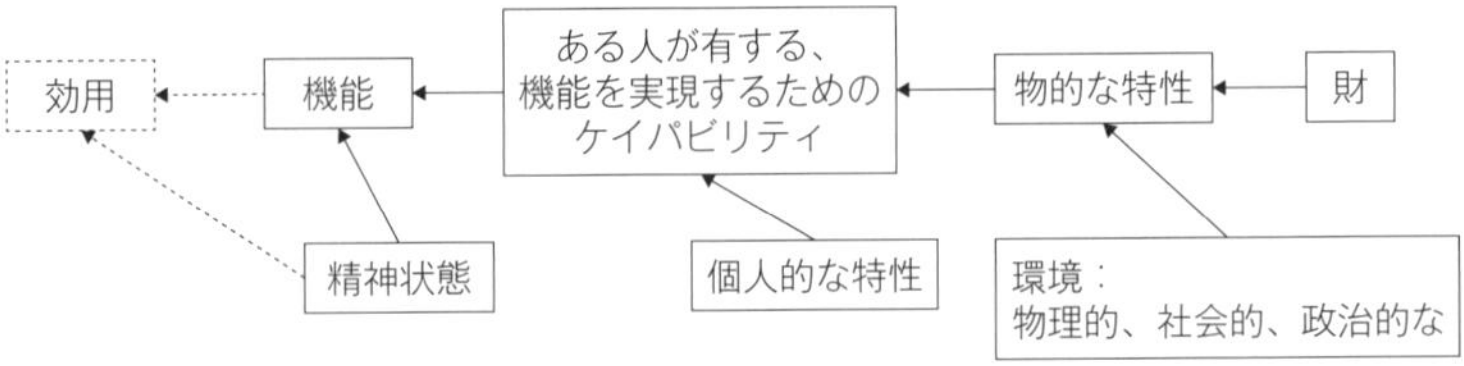

図１　効用、機能、ケイパビリティ、およびそれらの諸源泉

センは、生活水準には実際のところもっとずっとたくさんの意味があるのだと論じ、そして富裕説と効用説の両方に対して疑問を呈した。財と効用あるいは欲求充足との間の結びつきは非常に入り組んでいて、それを理解するためにはいくつかの区別を成すことが極めて重要だと彼は論じる。私はそのような結びつきを図式的な形で表してみたが（図１）、これが彼の見解を不正確に表現したものではないことを願っている。

図１に関して第一に強調すべきことは、快楽や幸福、欲求充足、あるいは単純に選択の反映、これらのうちのいずれの形で解釈されるにしても、効用を生活水準の究極的な定義とみなすことにセンは極めて懐疑的だということである。彼は二つの中間的段階――機能およびケイパビリティ――に注目したいと考えており、**図１**において効用に続く破線は、効用へと向かう一連のつながりのうち、最後の結びつきが弱いものであることを表している。

図１に関する第二のポイントは、センが財から効用までのつながりの内で、重要な三つの結びつきを区別していることである。通常の市場財は第一に、より基底的な中間財、たとえばカロリーやタンパク質のような栄養の諸側面に変換される。いくつかの経済学の文献――Gorman（1956）およびLancaster（1966）――と同様に、彼はそれらを「特性（characteristics）」と呼ぶ。特性は、人が機能を実現するためのケイパビリティ（capability of a person to function）、たとえば十分な栄養を摂取しているとか、長い余命を有しているとかいったことに影響する。機能を実現するためのケイパビリティは人そ

れぞれに様々な形で、実際の達成（actual achievements）、すなわち諸機能（functionings）へと変換されうる。最後に、より高い効用が、それらの諸機能のより高い水準〔での実現〕に結びついている。

図1に関する第三のポイントは、財とは区別される他の要因もまた、効用の発生に関わってくるということである。図の右側から見ていけば、私たちは市場における財と同様に環境もまた、我々が達成することのできる物的な特性の総量を決定することを見て取ることができる。ここでの環境は気候や公共財、たとえばきれいな空気、犯罪のないこと、個人の自由などを含みうる。二つ目に、個人的な特性、たとえば個人の代謝機能などが、栄養などの物的な特性とともに、様々な次元において、人が機能を実現するためのケイパビリティを決定する[2]。さらに続いて、人の精神状態も、彼あるいは彼女の機能を実現するためのケイパビリティと同様に、様々な種類の機能の達成水準を決定する。人の精神状態は、たとえば宗教的信仰の有無に依存するかもしれない。

たとえ連鎖の終わりにあるのが効用であるとしても、センは生活水準を効用の水準によって判断すべきではないと論じる。これは部分的にはその概念の定義しにくさのためである。しかしその本来の意味を切り詰めて、幸福を評価対象として取り扱うとすれば、それは主観的すぎるしまたごまかしが多すぎる。というのも、同じ人物においてさえ精神状態は絶えず変動しうるからである。同様の議論が、その人が実際に達成した機能を評価対象として取り扱うことについても向けられうる。センの論じるところでは、それらに代えて、ある人が有する、機能を実現するためのケイパビリティの利用可能な集合こそが、生活水準が第一に関係付けられるべきところのものとなる。そしてこの集合が有する多次元的な性質のゆえにこそ、彼はただ単に当の集合から実際に選択された単一の点を生活水準の一次元的な指標として取り扱うのではまく、むしろ自由を、すなわち代替的選択肢の実現可能性を重視するのである。しかしながら、実際に達成された諸機能〔のある単一の組み合わせ〕を観察することとは違い、達成度の集合〔すなわち達成されうる諸機能の幅〕がどのようなものでありうるかを観察するにあたっては、多くの場合に実践的な困難があることを彼は認めている。

私の論評の残り部分では、まず第2節において、センの議論と他の経済学者がこれまでに発展させてきた関連する議論との間の、類似点と相違点について論じようと思う。第3節では習慣（habits）が提起する問題について考察する。習慣というものが存在することについては多くの経験的な証拠があり、それについて経済学者は広範に論じてきた。第2節と第3節は、センの分析を補足することを目的としており、そして観察可能性の問題および行動と選好の間の結びつきに焦点を合わせることによって、彼自身が論じている利点と難点の両方をよりはっきりさせることを試みるものである。この文脈で私は心理学の文献にも言及する。第4節では、多次元的なケイパビリティ集合に含まれる情報はいかにして要約されうるのかという問いについて、いくつかの準備段階の提案を行ってみようと思う。第5節では、アンガス・ディートンとともに行った私の研究に対するセンの所見に応答する。その研究は、家計およびその中の個人の生活水準について、家計単位の市場行動の観察から得られる知見があるとすればそれは何か、という問いに関するものである。私は、家計ごとに集計された市場行動を研究することから引き出されるものはまだとてもたくさんあるということ、そしてこのことは貧困家計における女性への偏見についてのセンの研究を有益な形で補足するであろうことを示す。第6節は議論の要約である。

2　より広範な経済学的文脈

市場財の概念はそれ自体において価値付けられているのではなく、快楽（あるいは苦痛）という、ジェレミー・ベンサムまで遡ることのできる（Bentham 1970: Ch. 5）より基底的な源泉によって価値付けられている。センはこの概念の近年の解説者として〔ウィリアム・〕ゴーマンと〔ケルヴィン・〕ランカスターの名を挙げる。彼らによれば、家計は市場における財からより基底的な商品あるいは「特性」を生み出している。ここで特性とは財が有する特徴のことである。しかしながら、これはかなり単純化された見方である。家計における生産について、他の論者、たとえば〔ゲイリー・〕ベッカーは、効用を生み出す基底的商品の生産への他の投入、とりわけ時間的および環境的な投入の重要性を強調した（Becker 1965）。加えてまた、異時点間の見方を取ることで、人的資本が重要な投入とみなされる（それ自身も生産されるものであるのだが）。人的資本は、そうでなければ実現されていたであろうよりもいっそう高い消費水準をのちの時点で実現する、ある時点でのあらゆる消費の犠牲に対して付されるラベルである。実際のところ、〔ネストル・〕テルレッキーの編集した論文集（Terleckyj 1976）の中では、何人かの論者が同様のやり方で健康資本について考察している。すなわち、蓄積することができ、また維持管理を必要とするかもしれず、そして遺伝的な資質において生まれつきの多様性をも有するようなものとして、健康資本を考察している。

ある意味では、それらの論者にとっての、個人あるいは家計によって生み出される基底的商品は、センが言うところの機能と一致するのだと述べることができるかもしれない。それらの論者にとって、機能から効用へと至る結びつきは典型的には問題ないものだとみなされるだろうけれど。基底的商品は市場における財、環境要因および個人的な特性から生み出されるのであるが、まさにそれらは、図1において示したように、センにおいては実現可能な機能の集合であるところのケイパビリティ集合の源泉となるところのものである。しかしながら、なぜセンはこれらの文献から一定の距離を置こうとしたのか、その理由も理解することができる。Michael and Becker（1973）におけるように、それらの文献の多くにおいては、かなり制約の強い仮定が置かれている（Muellbauer 1974a および Pollak and Wachter 1975を見よ）。それらの仮定の目的は、異なる家計に対して同一となるシャドウプライスの存在を示すことにある。このことによって、「実際に存在するかのような（as if）」市場、すなわち暗黙の市場が存在することになり、そこで家計によって生み出される基底的商品が暗黙のうちに取引される。このことは、市場についての経済学の規則を、家計および個人の意思決定というまったくの中間領域にまで拡張することを可能にする。しかし、家計における生産という見方自体にそのような含意があるわけではない、ということを理解しておくことが重要である。

図1の左側に移ろう。センは、精神状態が個人によって異なり、それが同一のケイパビリティ集合から非常に異なる効用水準を、あるいは実際のところ異なる水準の諸機能を生み出しうることを強調している。彼は好みの違い、すなわちそれぞれの個人がもつ無差別曲線の形状の相違を、効用関数の相違と注意深く区別している。人によっては前者のタイプの相違を、個人が下す選択を観察することによって推定したいと思うかもしれない。しかしながらセンが強調するように、二人の個人は（あるいは同一の個人でも異なる時点においては）同一のケイパビリティ集合に直面して同じ選択を行いながらも、なお異なる効用水準を経験するかもしれない。このような主観的状態の相違こそが、生活水準についての効用説を批判し、人が直面するケイパビリティ集合こそが生活水準を決めるとする見解を肯定する際の、彼の主要な論拠の一つである。

図1におけるような形で、物的な特性のカテゴリーが区別されるかどうか、あるいは洗練された家計内生産の見方におけるような形で、ケイパビリティ集合（実現可能な基底的商品の集合）が財、環境要因および個人的特性によって直接に決定されるかどうかということは、大きな違いをもたらすものではないと私は論じたい。むしろ重要なのは、ケイパビリティ集合を決定する関係性が適度に普遍的なものであること、また決定変数および選択された機能が適度に観察可能なものであることである。このことはとりわけ、環境要因と個人的特性が完璧に近い程度に観察可能であることを意味する。たとえば、もし後

者が観察可能でないならば、ケイパビリティ集合は、効用を基準として信頼できないものにするような類の恣意的な変化に左右されることになってしまうだろう。

機能への関心は、実践的には、開発に関する文献の中にある、人間開発に関する諸論考と大きく重なる部分がある（たとえばHo 1982を見よ）。それらの文献は、センも論じている「ベーシック・ニーズ」についての文献にもその起源を有するものである。人間開発アプローチは、所得や消費といった、達成度についての貨幣額による経済指標を重視せず、体格測定、また健康、罹病率、スキル、教育レベル、そして住居の状況により大きなウェイトを置く。それらは達成度についての指標として取り扱われているが、個人的な特性についての指標、あるいは、もし異時点間の見方を取るならば、将来の達成への投入でもありうる。

この点に関して、センの立場を〔ジョージ・〕スティグラーとベッカーのよく知られたエッセイ「味の問題については採めることはありえない」（Stigler and Becker 1977）における立場と比較することは興味深い。彼らが論じるところでは、諸個人は基底的商品に対して同一の選好を共有しているのだと可能な限り仮定するべきである。それゆえ、行動の違いは好みの違いによってではなく、制約の違い（センの用語法でいえばケイパビリティ集合）によって説明されるべきである。そうすることで彼らは、個人の習慣あるいは風習の存在を、非習慣的な行動と関連付けられた、あるいは特定の人的資本の蓄積と関連付けられた、探索コストという形で説明するだろう。たとえば、山に対する私のこだわりと海辺に対する私の妻のこだわりは、スキーのスキルと水泳のスキルにそれぞれ具体化されるような種類の異なる人的資本を、数年にわたって蓄積してきた結果である。好みの例として伝統的に挙げられてきた一時的あるいは気まぐれな流行については、彼らは社会的栄誉と呼ばれる基底的商品によって説明するだろう。社会的栄誉は流行の財を家計が購入することによって生み出され、またそれを他の家計が購入することによって目減りする。[3]

スティグラーとベッカーは、生活水準の測定よりも行動の説明に関心がある。しかし彼らは、両者に共通する次のような根本的問題についても手がかりをつかんでいる。果たして私たちは、家計および個人が直面する制約に対して、また彼らの好みあるいは効用関数に対して、何を帰すればいいのだろうか？〔＝制約や好みを説明するものとして何に注目すればいいのだろうか？〕この文脈においてセンは、家計あるいは個人の市場における選択のみを適切な観察対象とする、多くの経済学者のやり方を批判している。

一つの重要な〔研究〕領域においては、人々に対して直接に、彼らの直面している制約をどう認識しているかを尋ねることが、しばしば、観察された行動を理解する唯一の方法となる。フォーマルあるいはインフォーマルな労働と余暇に関わる選択についての領域がそれである。もし高い水準の余暇が、労働機会が存在する場面での自由な選択の結果ではなく、労働機会の欠落によって強いられたものであるならば、ケイパビリティ集合について大きく異なる判断が下されるであろうことは明らかである。この違いを図2に示した。[4] 消費水準がCAでありかつ働いていない、すなわち点Aにいる、とある人物について見ているものとしよう。この人は〔一つの可能性として〕機会集合OBACに直面し、かつ図2に示されたような連続的な無差別曲線を有する人物でありうる。この機会集合において可能な唯一の労働は、非常に低い賃金におけるものである――その〔非常に低い〕実質賃金がBAの傾きを決定しており、非労働所得CAを所与とすれば、この人物は家に止まる。① もしこの人物が〔また別の可能性として〕機会集合OB'ACに直面しているならば、点Dが選択され、少なからぬ量の賃労働が提供されていただろう。他方で、後者の機会集合に直面しながら、しかしAを通る破線の無差別曲線によって表現される選好を有する人物であれば、なお働かないことを選択していただろう。観察される消費と労働の水

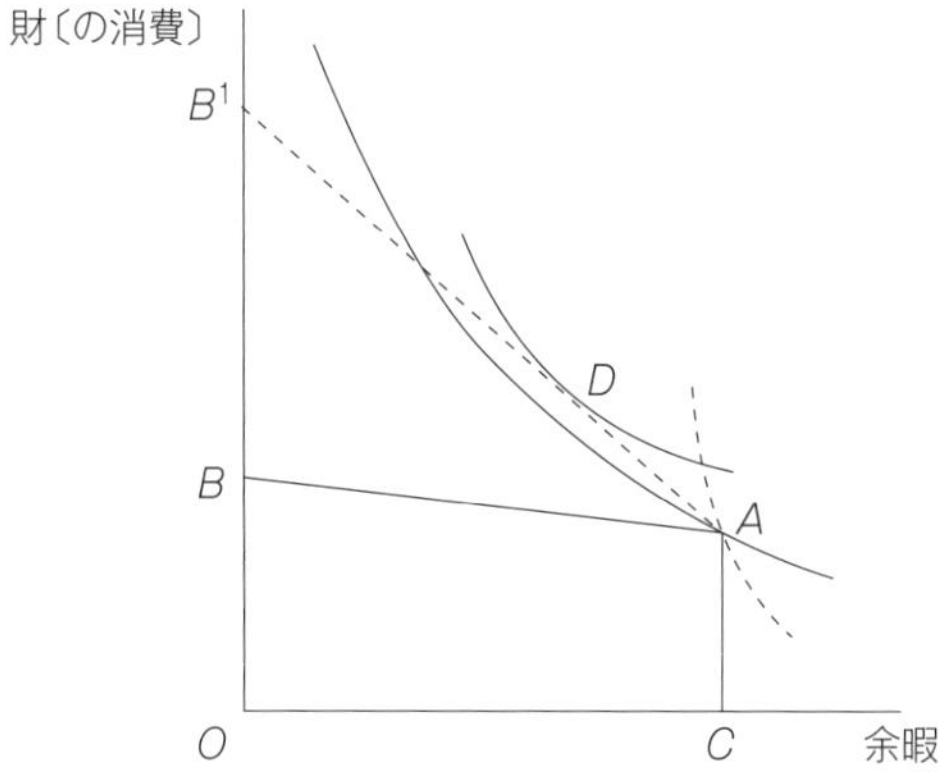

図2　消費と余暇の間での選択

準のみに不自然に閉じこもることは、これらのケースを見分けることを非常に難しくしてしまうだろう。機会集合 OB^1AC に直面している人物は機会集合 OBAC に直面している人物よりも高い生活水準を有している、と私たちが判断するであろうことは明白である。

この例は、マレーシアにおいて生じたある解釈上の特別な困難について思い出させる。[2] ムスリムの家計においては中国系の起源を持つ家計に比べて所得が低いが、これは部分的にはムスリムの妻がもたらす所得の相対的な低水準に起因する。女性の労働に対するムスリムの間での文化的偏見をふまえれば、彼女たちのうちのごく少数しか賃労働に従事していないという事実は取り立てて驚くようなことではない。しかしこれは、中国系の家計との間での労働に対する好みの違いとして取り扱うべきものだろうか、それともムスリムの家計の機会集合に対する制約として取り扱うべきものだろうか？一つ目の解釈によれば、ムスリムの家計は中国系の家計に比べて不利な状況にあるのだと結論されることはほとんどなさそうである。しかし、おそらくこの困難への解答はもう一つの提起の方にある。もし統一された家計の選好という概念を捨て去るならば、ムスリム女性の労働に対する文化的偏見は、ムスリムの男性の好みの一側面でありかつ同時にムスリムの女性に対する制約として理解されるだろう。このことによって関心のある種の焦点はエスニックグループの間の相違からエスニックグループ内の相違へと、さらには実際のところ家計内の相違へと切り替えられる。それはまたセンによって検討された、家族についての経済学に関する一般的疑問のうちのいくつかを提起するものであり（Sen 1983e）、それらについて私は第5節において立ち返るつもりである。

3　習　慣

習慣の行動上の重要性については非常に多くの経験的な証拠がある。センは習慣についてほんの少し触れるだけであり、生活水準についての典型的な効用説に対して習慣が突きつける困難さを精査することで彼の分析を補完することには価値がある。とはいえそれらの困難は、彼の機能〔という概念〕によっては完全には回避されないものなのだが。

習慣化が特定の財に対してもたらす効果が図3に示されている。ここでは単純な例として、テレビを観るという習慣だとしよう。無差別曲線I-Iは、私が直前の期間にとてもたくさんテレビを観ていた場合に当てはまるものである。対して破線の〔無差別〕曲線I'-I'は、私が直前の期間にほとんどテレビを観なかった場合に当てはまるものである。この図3が示しているのは、テレビを観る一時間を諦めることに対する他の財での補償額は、直前の期間により多くテレビを観ているほどいっそう大きくなる、ということである。私がテレビを観ることから得る限界効用は、直前の期間にたくさん観ていたことの結果としてより大きくなるように思われる。しかしながらこのことは、同じだけの予算を有し同じ価格に直面しているとして、私は直前の期間にたくさんテレビを観ていたことによって今期よりいっそう良い状態にある、ということを意味するのだろうか？　そのような結論はかなり疑わしい。二つの無差別曲

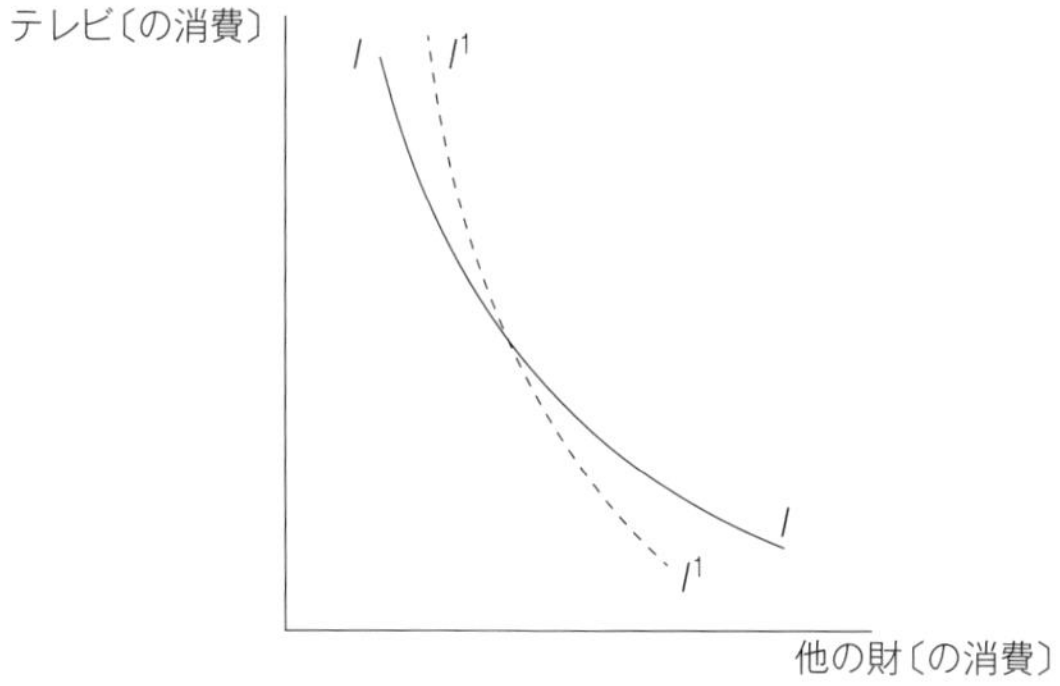

図3　習慣化がもたらす影響

線は交差しており、したがって一方が他方に対してより良いとかより悪いとかいった推論を下すことはできない。しかし**図3**から行動を推定することはできる。予算線を引いて、それに接する最も高い無差別曲線を見つければよい。これによって示されるのは、直前の期間にたくさんテレビを観ていたことに対応する無差別曲線は、今期より多くのテレビを見ることに帰結するということである。過去の影響からのこの正のフィードバックは、まさに習慣化という概念から私たちがまさに予想するところの行動である。

この事例にはもう少しだけ分析してみる価値がある。限界効用逓減を仮定するならば、**図3**を表現する単純な形式的手法は、次のような効用関数を書くことである。[5]

$$u_t = U\left(\frac{q_{1t} - aq_{1t-1}}{1-a}, q_{2t}\right) \qquad (1)$$

ここでq_{1t}は期間tにおいてテレビを観た総時間、q_{2t}は他の財の消費量、そしてaは定数のパラメータである。$0<a<1$のケースは、ここで議論されているような習慣形成があるケースに対応している。対して$-1<a<0$のケースは、新品だった時点を超えてさらに一期間の間サービスを生み出すような耐久財のケース

に対応している。もし私たちが〔耐久財として購入するのではなく毎期間ごとに費用を支払う〕ケーブルテレビについて、つまり料金箱にコインを入れることで支払いを行い、それゆえ時点tにおける一時間ごとの費用が p_{1t} となるテレビについて考察するならば、予算制約は次のようになる。

$$x_t = p_{1t} q_{1t} + p_{2t} q_{2t} \qquad (2)$$

これは次のように書くこともできる。

$$x^*_t = p^*_{1t} q^*_{1t} + p_{2t} q_{2t} \qquad (3)$$

ここで $x^*_t = x_t - a p_{1t} q_{1t-1}$ であり、$q^*_{1t} = \frac{q_{1t} - a q_{1t-1}}{1-a}$、また $p^*_{1t} = p_{1t}(1-a)$ である。式(2)を制約条件として式(1)を最大化することで得られる需要関数は、次の形をとる。[6]

$$q^*_{1t} = g_1(x^*_t, p^*_{1t}, p_{2t}),\ q_{2t} = g_2(x^*_t, p^*_{1t}, p_{2t}) \qquad (4)$$

したがって次の式が得られる。

$$q_{1t} = a q_{1t-1} + g_1(x^*_t, p^*_{1t}, p_{2t}) \qquad (5)$$

この式は、財1の需要の所得弾力性が非常に大きいのでなければ〔つまり財1が贅沢品でなければ[3]〕、行動について正のフィードバックメカニズムが存在するということを意味する。[7] 言い換えれば、予算と価格を固定して、ケーブルテレビの購入がゼロの状態からスタートすると、私の〔ケーブルテレビの〕消費は時間とともに積み重なってゆき、最終的に一定の水準に収束する。

財の耐久性の効果はこれと同様の方法で効用関数へと組み入れることができるし、それゆえ習慣〔の効果〕はより一般的な仕方で特定することができる。Stone and Rowe (1958) 以来、この一般的なクラスにおける需要関数の体系は幾度も検討されてきた (Philips 1983を見よ)[4]。その典型的な発見は、習慣を形成する財が時間とともに優勢になっていくということである。

式(1)のような選好は、次のように解釈することもできる。「私は二〇年前に消費していたよりもはるかに多くのものを消費し、そして私がかつてそうであったのに比較してよりいっそう幸せだと感じている（実際のところ習慣を一切形成していなかった場合と比べたとしても同じようにいっそう幸せである）[5]。他方で、もしいま、二〇年前に経験していた消費水準に立ち返らなければならないとしたら、私はずっとつらく、その当時感じていたのと比べてさえいっそうつらく感じるだろう。反対に、もし二〇年前、一夜にして私の消費水準が現在の私の水準まで増加したとしたら、私はとてつもなく幸せに感じたことだろう[8]。」これは文句のつけようのないことのように思われる。しかしそこには二つの問題があるのであり、私はそれについて考察したいと思う。

一つは観察可能性の問題である。果たして、行動からいかなる推論が引き出されうるだろうか？　次の形をとるあらゆる効用関数は、式(1)の効用関数と同様の行動を帰結としてもたらす[9]。

$$u = H\left(\frac{q_{1t-1}}{1-a} U\left(\frac{q_{1t} - aq_{1t-1}}{1-a}, q_{2t}\right)\right) \qquad (6)$$

しかし、関数 H(.) が最初の独立変数に対してどのように変化するのかに応じて、福祉について非常に異なる結論が帰結するだろう。結局のところ、なんらかの形での式(6)の標準化（それは実際のところ式(1)であるかもしれない）が採用されなければないが、〔行動の観察を超えて〕人々に対してどのように感じているかを尋ねることが、妥当な標準化方法の選択において有益なガイドを提供してくれるだろうと思われる。

二つ目の問題は、習慣をセンのフレームワークに組み込む方法に関する問題の一つである。彼のいう機能は、過去に獲得された〔機能の〕水準が、機能から得られる現時点での満足に対して無関係であると言えるほどに基底的なものなのだろうか？　もしそうである〔つまり機能それ自体は習慣の影響を受けない〕ならば、習慣が特徴付けるのは、機能がそれによって生み出されるところの「技術」であることになるが、これは上に論じたスティグラーとベッカーの見方と寸分も違わない。満足が他人の消費に依存するような事例についてのセンの議論を考えれば、彼はこの立場に共感するのではないかと私は思う。

彼は恥ずかしい思いをせずに人前に出られるというケイパビリティについてのアダム・スミスの文章を肯定的に引いている。そのようなケイパビリティは明らかに、衣類の消費あるいは所有の絶対的な水準にではなく、他の人々と比べた相対的な水準に依拠するものである。私はこれを、諸個人の機能は他者の機能に直接に依存しているのではなく他者の消費水準に依存しているということだと捉えている。

消費は絶対水準においてのみならず社会内の他のメンバーの消費との相対的水準においても問題になる、という見方は、〔ルイス・〕フィリップスや他の人々が習慣の効果を用いて説明している経験的証拠ともうまく調和する。もし他の人々の消費の認知にタイムラグがあるならば、効用関数へと入り込むのは他者の過去の消費と比較しての〔現在の自分の〕消費であり、それゆえ、それぞれの人物の需要関数に入り込むのは他者の過去の消費である。したがって集計においては、過去の消費が集計された需要関数の中に現れてくる。たとえ個人にとっては一切の習慣化が存在しないとしてもそうなる。(6)

行動と福祉との結びつきを看過することに伴う困難を切り抜ける一つの方法は、異なる客観的環境に直面した際にどれくらいうまくやっていると感じるか、人々に問うことである。この興味深いアプローチを探究してきた著者らによる論文 Kapteyn and van Praag（1976）の報告するところでは、高い所得を得ている人々は低い所得を得ている人々に比べて、生活水準が満足のいくものとなる所得の水準としてより高い額を申告する。これは効用について習慣を含み入れる見解と一致するし、もし人々に自分と同じ生活水準にあるグループを参照基準に選ぶ傾向があるとするならば、〔効用についての〕他者相対的な見解とも一致する。

心理学者たちはもちろん、〔精神的な〕態度について非常に多くの分析をなしてきた。彼らの報告では、驚くべきことに、満足度の指標とそれに直接関係するような客観的な環境（たとえば所得や健康など）との間の相関は小さい。しかしながら、次のことには広い合意が存在する。すなわち、満足度の指標は他の〔精神的〕態度と高い相関を有し、そのような態度は時間経過に対して非常に安定的であって、そして二つの集団に分解されるのである――E（外向性 extroversion）とN（神経症的傾向 neuroticism）の二つに（心理学者によっては別の名前で呼ぶかもしれないが[7]）。Costa and McCrae（1980）を引こう。

> Eの頭文字の下にあるのは、社交性、思いやり、人々との関わり、社会参加、そして活発さである。Nの下にあるのは自我の強さ、自責の念の感じやすさ、不安感、心身に対する懸念、そして苦悩といった性格特性である。外向的な特質は生活を肯定的に楽しんだりそれに満足したりすることに寄与するが、逆境における不愉快さを減少させるようなものではないと一般にみなされている。神経症的な特質は、不運をより深刻に感じ悩みやすくさせるが、その人の楽しみや喜びを必ずしも減少させるものではない。

このような人格的傾向を生み出す人間のモデルについては、心理学者の間でもかなりの不同意があるかもしれないと私は思う――ほとんどすべてのものごとについてケンブリッジの経済学者の間にあるのと同じくらいの不同意がありそうだ。遺伝子の役割を強調する人々もいれば、幼少期初期における母親の役割を強調する人もいるし、また別の人々は依然として、幼少期における、成年期への推移段階における、そして成年期そのものにおける個々の環境からのストレスの結果として生じる認知的不協和の役割を強調する。図式的な先の図1において私は、精神的な気質を、達成される機能の水準の説明に寄与する要因として記載した。機能を実現するためのケイパビリティと実際に達成された〔諸機能の〕水準との間の区別のまさにその本質に照らして、センは二つの問題へと注意を引いている。同一のケイパビリティ集合に直面して異なる個人は異なる機能の組み合わせを選択しうるのみならず、効率性においても異なりうるのである。すなわち、何人かの人々の達成度は当のケイパビリティのフロンティア〔すなわち当のケイパビリティをどんな形であれ最大限利用することによって実現できる限界〕に遠く及ばないかもしれない。潜在的には、心理学者たちが、それらの違いを説明してくれるかもしれないし、もしかするとケイパビリティ集合のフロンティアの位置を再定義するのに必要な情報を特定してくれるかもしれない。

4　集合を要約する

センは生活水準を測定する上での自由の重要性を強調する。自由とは、豊富な選択の機会を提供してくれるケイパビリティ集合を有しているということを意味する。(8) このように考えることで、機会集合の記述に伴う、多次元にわたる情報をどのように集計するか、という問題が持ち上がることに彼は気づいており、そして、部分順序でも満足できるかもしれないと提案している。これは、すべての実現可能な集合をランク付けることはできないかもしれないということである。図4(a)において、Z_1とZ_2は二つの機能の水準を示している。集合OBBが集合OAAよりも良いことは明らかだが、集合OBBと集合

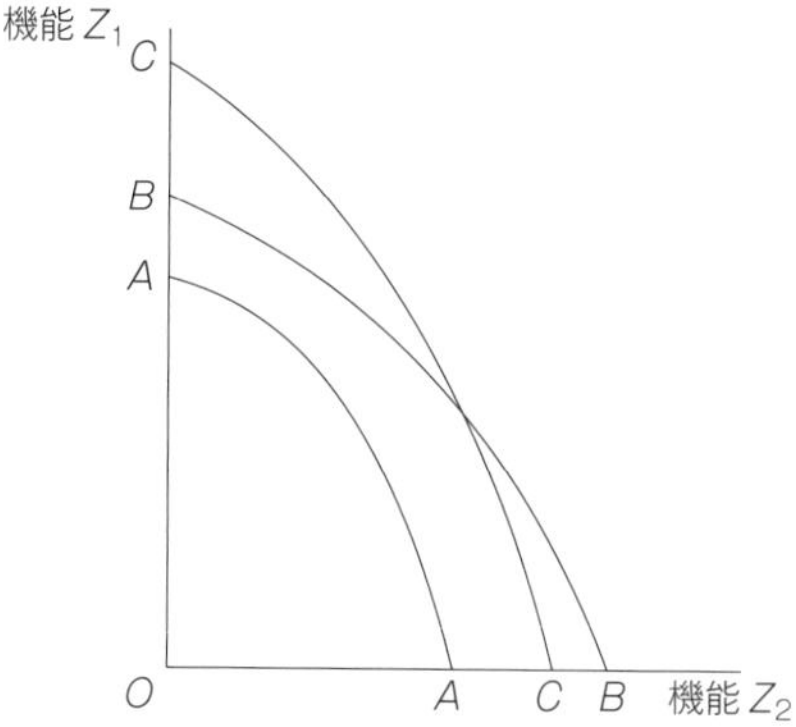

図4(a)　3つのケイパビリティ集合

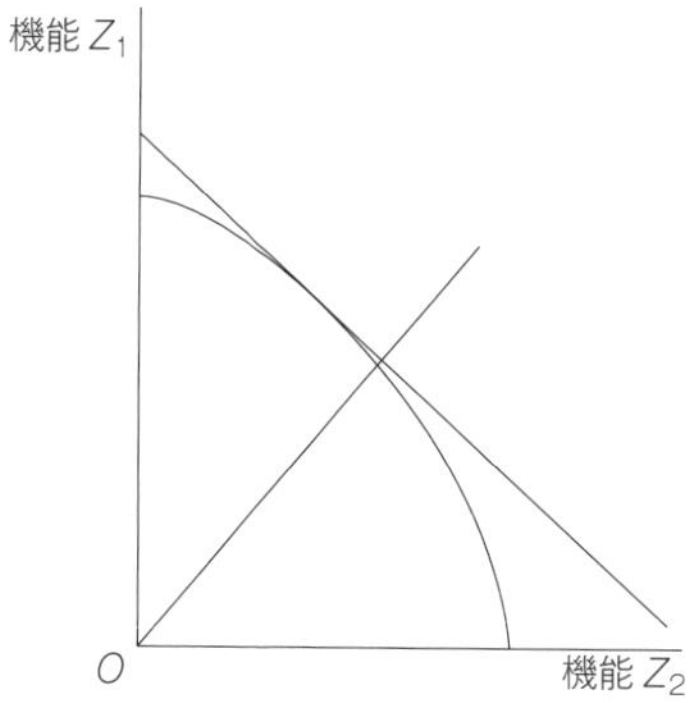

図4(b)　ケイパビリティ集合の統計指数尺度

OCCをランク付けることはできない。

集合のランク付けの問題に直面して、経済統計指数の理論が進む道は二つあるだろう。それら二つは図4(b)に描かれている。第一の方法は、ケイパビリティ集合のフロンティアに対する接線（tangents）の位置を検討するというものである。所与の傾きを有する、基準となる接線を一つ選んだならば、〔それぞれのケイパビリティについて当の傾きを有する接線を引き、それぞれの〕接線が原点からどれだけ離れているかを測ることによって、一つのケイパビリティ集合を別のケイパビリティ集合と比率で比較することができる。第二の方法は、原点を通る射線（ray）を検討するというものである。その場合、原点からケイパビリティ集合のフロンティアとの交点までのこの射線の長さが、ケイパビリティ集合を比率で比較することを可能にする。図4(a)における集合OBBとOCCの比較の問題に当てはめてみれば、それぞれのアプローチは一つの解答に到達するだろう。しかしその解答は、基準となる接線の傾きあるいは原点を通る射線の傾きに依存するものとなる。

いずれのアプローチも、自由は生活水準を計測する上で重要な問題であるべきだというセンの要求を満たすものではな

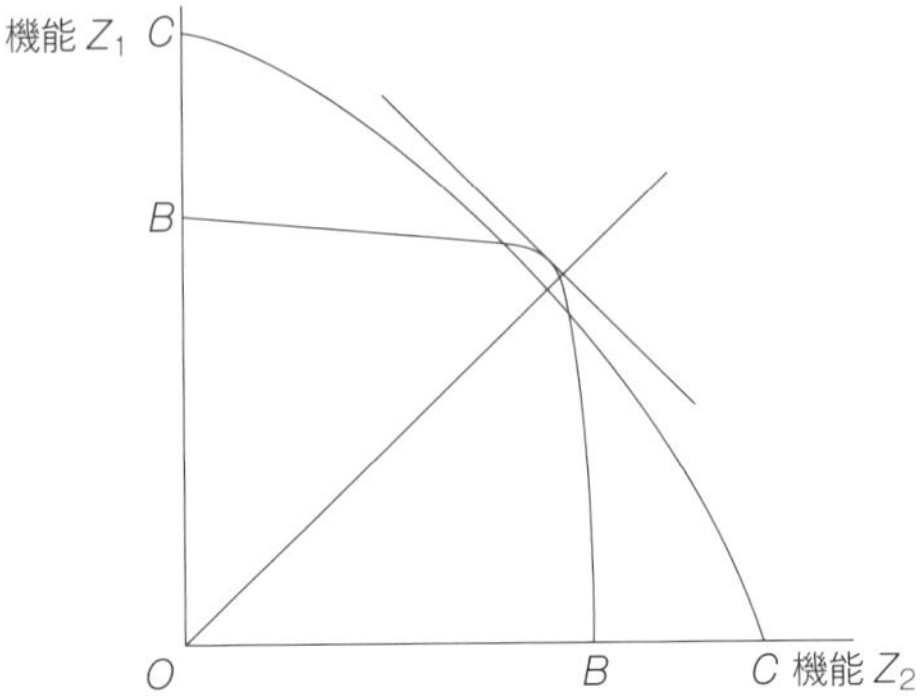

図5　機会集合と自由

いことは明らかである。たとえば、図5に示されているような参照基準の接線あるいは射線に照らして、集合OCCが集合OBBよりも悪いことは明白である[9]。しかし集合OCCがより大きな自由を――より大きな選択の機会を――提供しているということには、同意してもらえるのではないだろうか。

〔ここでさらに考察すべき〕一つのアプローチは、集合を単一の次元ではなくいくつかの次元において要約するというものである。この方法は、それぞれの集合を記述する上で必要となる膨大な量の情報を〔単一の次元にまとめる方法ほどでなくとも〕なお節約するだろう。そのようにする一つの明確な方法は、接線あるいは射線の傾きについて、参照すべき値を複数選択するというものである。それぞれの値が集合についての一つの測定値を与えるのである。

いくぶんかより洗練されたアプローチは、社会厚生関数を用いた不平等の測定からアイデアを借用するものである。接線あるいは射線の傾きについて、ある平均的あるいは代表的な値があるものと仮定しよう。これを用いることで、自由にとって望ましい選択肢の多様性を無視する、スカラーの集合尺度が得られる。ここで、接線あるいは射線の傾きについて基準となる分布を考察してみよう（それらはある集団における実際の分布に基づいているかもしれない）。この分布において、接線あるいは射線の傾きの様々な値に対応する、スカラーの集合尺度の数学的期待値を考えてみよう。これが、図5における集合OCCを集合OBBと比べていっそう望ましいものにする傾向を（図5に示された平均的な接線あるいは射線に基づく集合尺度よりもいっそう）有するような集合尺度となることは明らかだろう。そしてそのことには正当な理由がある。選好に多様な幅がある状況では、集合OCCに優位性が認められるだろうからである。この値（＝上の数学的期待値）は多様性に注意をはらうスカラー尺度であるが、さらにこれを接線あるいは斜線の傾きについての平均的あるいは代表的な値に基づいた集合尺度と組み合わせて、集合の二次元での要約を得ることもできる。[10]その二つの尺度の間の比率は、当の集合によって提供される選択肢の多様性についての指標とみなされうる。この指標は、不平等の計測についての文献における、平等に分配された場合の等価所得と平均所得との比率（を用いた評価）と、いくぶんか類比的なものである。

5　個人かそれとも家計か[11]

ほとんどの家計には一人より多くの個人が含まれ、そして家計内の諸個人の福祉と行動の両方が相互に作用している。明らかに、規模がより大きな家計のメンバーは、より小さな家計のメンバーと同じだけの生活水準に到達するためにいっそう多くのものを必要とする。ここでの問いは、はたしてどれくらい多くなるのかということであり、これに対する解答を記述する上で経済学者の用いている言葉が「等価尺度（equivalence scale）」である。これは二つの家計が同じだけの生活水準に到達するために必要となる購買力の比率である。だが、センが問うように、生活水準を有するのは家計なのだろうか？　Sen（1983e）において彼は、統一されたやり方で行為する「接着された」家計、および決定権を有する一人の人物がその意思を（他のメンバーに）押し付ける「専制的な」家計（といった考え方の非現実性）について考察し、さらにそのような家計を、諸個人がそれぞれに自分の効用関数を有し、彼らの間でなされる交渉の結果が集合的な決定となるようなより現実的なアプローチ〔によって把握される家計〕と対比させている。最初の二つのケースにおいては家計の効用関数が存在し、それが行動を決定する。三つ目のケースにおいて家計の効用関数は一般的には存在しないが、もし安定した交渉の合意が存在し、それが諸個人の効用水準の安定的な相対値に帰結するならば、存在するだろう。しかしすべてのケースにおいて、それぞれの個人の生活水準は同一なのかどうかを問う余地が存在する。というのも家計内の諸個人の消費水準を観察することは極めて困難だからである。他方で、個人の罹病率および死亡率についてのデータは、いくつかの国において、家計内の女性メンバーに不利に働く偏見が存在しているということを示している。セン自身がこの問題について非常に多くの重要な研究をなしており、それについては〔本書の〕第二レクチャーで議論されている。そこで彼は次のようにコメントしてもいる。「家計所得の数字からは、あるいは家計消費パターンの数値からでさえ、ほとんど何の助けも得られない――アンガス・ディートン、ジョン・ミュールバウアー、およびその他の人々は、熟練した腕前によってそれらの数値から可能な限り多くのものを絞り出してきたのだが」〔本訳書六四頁〕。私はこれに対する応答として次のように論じさせていただきたい。すなわち、私たちはそうであったならよかったと思うほどには熟達していなかったが、それでも以下に述べるようなやり方でいっそう上手くやれたらと願っているのである。

私は最初に、家計内の不平等の存在を、等価尺度に関する文献にある福祉と行動とを結び付けようとする試みと、両立させることができるかどうかについて論じたい。その次に、家計内における性別バイアスの存在に対して、実証的な等価尺度研究が（もし何かしらあるとして）一体いかなる光を投じうるのかについて論じようと思う。

等価尺度の評価には三つのモデルが用いられてきた。第一のものはEngel（1895）に帰せられ、予算のうちで食料に費やされた割り当て分を、福祉の指標として取り扱う。子どものいる家計の等価尺度は、それゆえ、参照基準となる家計と比べて、その食料割り当てが同じになるような予算xを取ることで得られる。参照基準となる家計とはすなわち、参照予算x_0を有する、子どものいない家計である。こうして等価尺度はx/x_0となる〔子どものいる家計はx/x_0の予算があれば標準的な家計と同じだけの食料割り当て、ひいては等しい生活水準を有するということ〕。この直観的に妥当と思える手続きを合理化する最も単純な方法は、この手続きが次の効用関数によって含意されると指摘することである。

$$u = U\left(\frac{q_1}{m}, \frac{q_2}{m}\right) \tag{7}$$

ここでmは家族のサイズとともに増加する変数だが、ただ素朴に人数を数えるものではない。q_1は食料消費量であり、q_2は食料以外の諸項目〔の消費量〕である。たとえばmは大人と比べて子どもはニーズが小さいことを考慮するだろうし、また規模の経済性も考慮しうるだろう（さらなる詳細についてはDeaton and Muellbauer 1980: Ch. 8を見よ）。センの言葉で言えば、私たちはq_1/mを単純化された形の機能として考えることができるし、mを個人の特性が（このケースでは家計の特性であるが）財の機能への変換に影響を及ぼすそのあり方として考えることができる、ということに注意してほしい。

〔この効用関数に対する〕通常の予算制約は、次の形で書くこともできる。

$$\frac{x}{m} = p_1 \frac{q_1}{m} + p_2 \frac{q_2}{m} \tag{8}$$

所与の価格に対して、ｍによってデフレートされた〔＝標準化された〕予算は生活水準の貨幣尺度となり、そして式(8)を制約条件として式(7)を最大化することは、予算の〔諸項目への〕割り当てが、そのようにしてデフレートされた予算の関数であることを含意する。したがって、予算の〔諸項目への〕割り当てが予算に応じてどのように変化するのかを観察することによって、デフレータ〔＝標準化指標〕ｍの値が推定されうる。この方法は計量経済学の手法は一切なしに用いることができるほど単純なものである。グラフ用紙さえあれば良いのだ。

これと同じくらい単純で利用しやすい二つ目の方法は、かなり異なった仮定に依拠しており、Rothbarth（1943）に帰せられる（Deaton and Muellbauer 1986を見よ）。上の説明においては、ｍによって測られた家計のニーズは各商品に対して同じ比率で変化するが、ロスバースのモデルにおいては財は二つのカテゴリーに分割できると仮定される。第一のカテゴリーはもっぱら大人だけが消費する財によって構成され、その他のすべての財が第二のカテゴリーを形成する。ここで考えられていることは、異なる数の子どもを持つ家計が等しい福祉水準にあるのは、財のうち子どもによって消費されるのではないものの消費が等しい場合である、というものである。それゆえ〔このモデルにおける〕家計の等価尺度は、そこにおいて大人による財消費が〔家計間で〕平等化されるような、参照基準となる家計の予算に対する当該家計の予算の比率である。このモデルを導く効用関数は以下のように示される。

$$u = min\{u_1(q_A, q_B^a), u_2(q_B^c, n)\} \qquad (9)$$

ここでｎは子どもの数、q_Aはもっぱら大人だけが消費する財の消費、q_B^aは大人によるその他の財の消費、そしてq_B^cは子どもによるその他の財の消費である。[10]

最後に、Barten（1964）に依拠して第三の方法を用いれば、上と同じ財のカテゴリーＡおよびＢに対して、効用関数は次のようになる。[12]

$$u = U\left(q_A, \frac{q_B}{n}\right) \tag{10}$$

これは式(7)とよく似ているが、もっぱら大人だけが消費するわけではない財に対するニーズだけが子どもの数の変化に応じて変化する〔つまり大人だけが消費する財の消費は子どもの数と無関係である〕と仮定する。式(7)の場合と同様に、私たちは q_B/n を単純化された種類の機能として解釈することができる。しかしながら式(7)とは異なり、このモデルを利用するにあたってグラフを用いる単純な方法は存在しない。[11]

個人と家計の対立についての問いに立ち返ろう。様々な個人、たとえば一人の大人と一人あるいはそれ以上の子どもがいると仮定しよう。大人は効用関数 $u^a = u(q_1^a, q_2^a)$ を、また子どもはそれぞれ効用関数 $u^c = u\left(\frac{q_1^c}{b}, \frac{q_2^c}{b}\right)$ を持つとしよう。ここでbは1より小さなパラメータであり(b<1)、q_1^a は大人の消費、q_1^c は子どもの消費である。子どもたちのニーズは〔大人と比べて〕より低いということを考慮に入れながら、効用は平等化され、かつ個人はそれぞれの効用水準に到達するためのコストを最小化すると仮定する。そうして補償された需要関数は以下の形をとる。

$$q_i^a = h_i(u^a, p_1, p_2),\ q_i^c = bh_i(u^c, p_1, p_2) \tag{11}$$

そして $u^c = u^a$ である。したがってn人の子どものいる家計の需要関数は次のようになる。

$$q_i = (1+nb)h_i(u, p_1, p_2) \quad ⑿$$

もしエンゲル曲線が線型であり、必ずしも原点を通らないならば、〔効用が〕平等な場合（$u^c = u^a$）では不平等なケース（$u^c \neq u^a$）と正確に等しいエンゲル曲線の集合が導かれることが示されうる。このことの直観的意味は、エンゲル曲線が線型の場合、予算の総額が同一にとどまる限り、〔家計内の〕不平等の程度は問題にならないということである。〔このやり方では、〕等しい予算を有するが、一方は子どもをきちんと世話し、もう一方は子どもをきちんと世話していない二つの家計の間で、家計の行動に観察可能な違いを見出せないだろう。エンゲル曲線が非線形の場合、たとえばMuellbauer（1975）で分析された種類の場合には、不平等はまさに問題となり、そして〔上記の二つの家計の間に〕観察可能な相違があるだろう。次のように考える人がいるかもしれない。すなわち、もし式⑾は真実に合致したモデルなのだが$u^c \neq u^a$であるとして、エンゲル曲線を式⑿に対応する形で改めて引くならば、u^c/u^aの低下が式⑿に含まれるbの同様の低下となって現れることを見ることができるだろう、と。しかしu^c/u^aの低下によって導かれる式⑿のbの低下がもっとずっと小さくなるような、妥当性のある事例を組み立てるのは容易である。

このことは等価尺度モデルを、たとえば性別バイアスの存在を確かめるために用いる上で、困った含意を有する。男の子と比べて女の子の有するニーズがより小さく見積もられていること、すなわち〔女の子たちの効用を重み付ける〕bの値がより小さいことを見定めることができれば、それによって女の子に対するバイアスを突き止めることができるだろう、というのは私たちの共通見解だろうと思われる。しかし前のページに示した線型のエンゲル曲線の場合のように、そのような性別バイアスが存在していても家計の行動には何らの相違も見出されないかもしれない。そして、よりいっそう妥当性のあるエンゲル曲線がある場合、すなわち観察可能な相違が見込まれる場合でさえ、性別バイアスの程度を過小評価してしまうということは、かなりありそうなことである⑿。

式(9)のロスバースのモデルは、性別バイアスの存在を確かめるための手段としてもっとずっと好ましいものである。式(9)における関数u_iは明らかに大人と子どもの効用関数として解釈することができる。式(9)の再定式化は次のようになる。

$$u = min\left\{u_1(q_a, q_B^a), \frac{1}{k}u_2(q_B^c, n)\right\} \qquad (13)$$

ここで、たとえば男の子にとってはk＝1、女の子にとってはk<1としよう。このモデルにおいて、性別に基づく偏見の根拠は、同じだけの総予算がありながら、男の子の多い家計と比べて女の子の多い家計においては、大人のための財の消費がより大きい、という形で現れてくるだろう。これは容易に確かめられる命題である。ただし実践上は、性別バイアスがほとんど見られない豊かな社会においてさえ、女の赤ん坊および女の子の体重はいくらか小さい〔ということに注意しなければならない〕。このことは女の子が男の子と比べて食物摂取へのニーズが小さく、そして全体的な必要もまた男の子と比べていくらか小さいということを示しているのだろう。

最後に、〔三つ目に挙げた〕バルテンのモデルは次のような特徴を有する。このモデルにおいては、効用需要方程式の線型支出体系（Linear Expenditure System）を導くような種類の一群の選好に対して、効用の分配における性別バイアスの結果として、観察可能な行動上の相違は一切存在しない。より現実的かつ一般的な一群の選好に対しては、行動上の相違はたしかに存在するが、しかしそれらの相違はロスバースのアプローチと比べて、それほど容易に突き止められるものではないように思われる。

これらのすべて〔の考察〕から私が引き出す結論は、家計の市場行動に等価尺度モデルを適用しても、家計内での福祉の分配については私たちは何も知ることができない、と結論付けることはあまりに後ろ向きすぎる、ということである。特にロスバースのモデルは、性別バイアスの存在を確かめるのにふさわしい手段である。Henderson（1949）および Nicholson（1949）による最初の適用から、ごく最近の洗練された研究である Deaton, Ruiz-Castillo and Thomas（1985）まで、このモデルは子どものコストの見積もりのために幾度となく用いられてきたが、家計内での性別バイアスの探究のためにそれを適用するような試みは、私は一つとして聞いたことがない〔ので、今後の探究の可能性がおおいにあると言えるだろう〕[13]。

6　結　論

私はまずセンの主要な結論であると思われるものを要約することから始めた。彼は生活水準を、ある人が利用可能な、機能を実現するための基礎的ケイパビリティという機会集合によって決定されるものとして把握する。このケイパビリティ集合は順番に財、環境要因および個人的な特性によって決定される。センはさらに選択の自由、すなわち折よく選ばれた一点だけではなくむしろ機会集合の幅が、生活水準の一つの重要な要素であると論じている。

第2節において私は、センのアプローチが家計生産についての文献と共通する部分を多く有していると主張した。とはいえセンが共有しているのは、それらの文献のうち、主として〔どの家計にとっても〕一律の暗黙の市場という観点から家計を分析するような、高度に単純化されたモデルに基づく部分ではない。センのアプローチはまた、開発経済学の文献における「人間開発」の系譜とも大いに共鳴するところがある。ここでは達成度の「非経済学的」な側面、たとえば体格の大きさや身体機能、教育水準、および罹病率といったものが強調される。私はまた行動および生活水準における変動を一方で効用関数の変動に、また他方で外的環境の変動に帰する際に生じる、いくつかの困難についても論じた。もう一つ別の、選択および福祉を制約あるいは選好へと帰することの困難さについての例として、労働―余暇間での選択という文脈で生じる一つの難問について議論した。

第3節において私は、習慣によって提起されるいくつかの問題、および習慣がいかにしてセンのフレームワークに組み込まれうるかについて考察した。私が論じたのは次のことであった。すなわち、私たちは誰もが習慣に縛られているという見方は、それ自体としては、何人かの経済学者が論じてきたように、効用は経済成長に際して必ずしも実質消費よりもずっとゆっくり成長してきたということを意味するわけではない、と。そのような見方は、いくつかの機能は他者の機能に対して相対的に定義される（これはセンによる機能の定義の重要な一側面である）と仮定することで、いっそう理にかなった形で正当化されるかもしれない。私はまた、ケイパビリティ、機能そして満足の間の結びつきにさらなる光を当てうる、心理学におけるいくつかの研究に言及した。

第4節において私は、自由が生活水準の重要な一側面であるというセンの論評から刺激を受けて、いくつかの準備段階の提案を行った。それらの提案は、経済統計指数に関する文献および不平等尺度に関する文献から得られたいくつかのアイデアの統合に基づくものであった。

最後に、第5節では個人と家計の間の関係について考察した。個人こそが究極的な関心の焦点であるというセンの見方に異議を唱えることは難しく、家計内での生活水準の分布は重要な研究トピックであるというその含意についてもやはり同様である。私は等価尺度についての文献の中でいったい何がこの問いに、とりわけ家計内における性別バイアスの探究に貢献しうるのかを検討した。結論として私は、ロスバースに帰せられるアプローチがとりわけ、一つの有望な探究の道筋を示してくれるものであり、そしてその道筋には、センがこのトピックについてこれまでなした研究を有益な形で補足する見込みがあるのだと論じたのだった。

原注

（1）ここで余暇は賃労働に費やされなかった時間を示しており、それゆえ家計内労働を含むだろう。

（2）私はこの例についてグラハム・パイアットに負っている。

（3）ここで「非常に大きい」とは $x^*_i/p^*_{1t}q^*_{1t}$ よりも大きいことを意味する。

（4）なお、Spinnewyn（1981）が示したところによると、消費者が先のことをよく考えていて、習慣の形成が将来的にその財をかなり高価なものにしてしまいうることに気づいている場合、そのような関数が極めて自然に導かれる。Muellbauer and Pashardes（1982）も見よ。

（5）もし財1の消費の成長率が適度に小さい場合には、次のようになることに注意してほしい〔記号≈は近似的に等しいことを意味する〕。

$$\frac{q_{1t}-aq_{1t-1}}{1-a}\approx q_{1t}$$

（6）Kapteyn and Alessie（1985）が最近、オランダのパネルデータに関して、習慣による影響を相対的消費による影響から区別しようと試みている。彼らが発見したのは、それら双方が重要であること、しかし習慣による影響のほうがよりいっそう重要だということである。

（7）この文献に関して有益な助言をくれたことについてデヴィッド・クラークに感謝する。

（8）Sen（1985b）において彼は「エージェンシーとしての自由」と「福祉のための自由」を区別することで自由の概念をさらに洗練させている。後者は福祉に関連するケイパビリティ集合に焦点を当てるものであり、第4節ではこれについて議論する。

（9）バーナード・ウィリアムズが彼の議論の中で考察している「チェルネンコグラードでの休暇」の例においては、集合OBBはさらに進んでたった二つの点へと縮減されるが、それによって問題はよりいっそうはっきりとしたものになる〔本訳書一六一頁〕。

（10）式（9）は、Deaton and Muellbauer（1986）が示したクラスに含まれる費用関数の表現が、ロスバードのモデルにとって必要十分であることを含意している。

（11）実のところ、一般にmは価格変化のデータがなければ、あるいはあらかじめパラメータに制約を課すことなしには、特定することができない。

（12）スリランカの家計に関して子どもたちの性別による行動の相違を調査しているDeaton（1981）が、そのような相違を重要ではないとみなした理由はこれであるかもしれない。他方で、スリランカでは性別バイアスが公言されていないだけだという可能性はある。

(13) なおこの研究は、大人のための財の集合の中に含み入れられるのが適切であるような財のリストを評価する仮説について精査し、酒やタバコのような伝統的な財〔を用いる〕よりもずっと上手くやっていくことが可能であることを見出した。後者の種類の消費は無視できない誤りを含むような計測方法の影響をうける傾向にあるため、このことによって〔計測〕技術に関する重大な潜在的批判が克服される。

訳注

［1］経済学では複数の商品（あるいは財）をまとめたものをバスケットと呼ぶことがある。たとえばりんごが三個、Tシャツが二着、自転車が一台……というような組み合わせが、ここでミュールバウアーが商品のバスケットと呼んでいるところのものである。

［2］ここでミュールバウアーは諸々の「環境」が財の「物的な特性」を、また「個人的な特性」が「ケイパビリティ」にそれぞれ影響すると整理しているが、この点について例を挙げて補足しよう。たとえば人は、一斤のパンから様々なケイパビリティを得ることができる（栄養を摂取できる・人々と歓談できる・贈答を通じて人間関係を深められる等々）。しかしどれだけのケイパビリティを得ることができるかは、人によって異なってくる。ある人は、代謝に障害を抱えている（個人的特性）ために、パンからそれほど栄養を摂取できないかもしれない。またある人にとっては、暮らしてしている地域では気候のゆえにパンがすぐ悪くなってしまう（物理的な環境）ために、一斤のパンが有する栄養に関する特性が縮小されているかもしれない。別のある人にとっては、文化的理由によりただでさえ少ないパンの一部を祭壇に捧げなければならない（社会的な環境）ために、あるいは治安が悪いために入手したパンを保存して継続的に消費することが難しい（政治的な環境）がゆえに、同様にケイパビリティに制約を受けるかもしれない。

これらのうち、社会的および政治的な環境については、財の特性ではなくケイパビリティに影響を与える要因として把握したほうが適切なケースも少なくないと思われる。「個人的な特性」と「環境」をミュールバウアーの示すようにすっきり整理できるかは議論の余地があるが、これはミュールバウアーの整理の問題というよりも、元になっているセンの議論の曖昧さに由来する点かもしれない。

［3］ここで言われている社会的栄誉とは、社会的な流行に乗っていることで得られる種類の承認を指す。昨今の例を挙げれば、「インスタ映え」するスイーツの写真をインスタグラムに上げることで「いいね」がもらえる時、社会的栄誉が実現されている。まさにそれは「流行の財を家計が購入する」ことで生み出されるのであり、他方で同じスイーツをほかの人もたくさん撮ってインスタグラムに上げていればあまり「いいね」はもらえないように、「他の家計が購入することによって目減りする」ことになる。

［4］図2についてのミュールバウアーの説明は簡略化されている部分が大きいので、以下に補足的に解説を行う。ただし前もって断っておくが、ここでミュールバウアーが言っていることはつまるところ「同じように働かずに家にいる成人（専

業主婦・主夫）であっても、十分な賃金を得られる機会がないからそうしている人と、そのような機会があってもなお好みの問題でそうしている人がおり、実際にどれだけの労働を選択したかということだけを見るのでは両者は区別できない」ということであって、グラフによる理解は読み飛ばしても基本的に問題ない。

さて、図2はある人物の労働と余暇に関わる選択について構造的に表したものである。話の大前提として、人は労働するかしないかのいずれかであり、労働しない時間がそのまま余暇になるとされる（原注1）。そして労働すればするほど、賃金を得られるために消費水準は高まる（その代わり余暇は短くなる）。グラフの縦軸が消費される財の大きさ、横軸が余暇の大きさである。

いまこの人物は働かなくとも一定の所得を得ており、それによって一定の消費をなすことができる、と仮定されている。つまり働かなくても生きていける。働かなくてもいいということは、最大限に余暇を満喫できるということでもある。まず余暇を最大限に取ることを考えれば、横軸の右の限界点Cが考えられる。ただしこの点にとどまっていたのでは消費がゼロである（縦軸においてゼロであることがそれを示している）。先に述べたようにこの人物には非労働所得があり、Aまで消費を伸ばすことができる。したがって、この人物はCからAにかけての線分のいずれの点でも選択することができる（必ずしも所得ぶんをめいっぱい消費する必要はない）。

さらにここで、この人物には働くことで（余暇を犠牲にして）消費水準を上げるという選択肢がある。しかしながら、（議論の最初の段階では）賃金はゼロではないものの非常に低いと仮定されている。それゆえ、点A（＝余暇を最大に取った上で消費を最大にとる点）から余暇を犠牲にして（＝左に移動して）いっても、消費はわずかにしか上がらない（このことはAからBへの直線がわずかに左上がりになっていることで表現されている）。ここで余暇をゼロにして働けるだけ働いた場合、この人物は点Bを選択することになる。

以上より、この人物は余暇を最大限享受する一連の選択（CからA）、さらにそこから余暇を減らして消費を拡大する一連の選択（AからB）、このそれぞれを限界として、その内側で様々な選択を行うことができる。これが「機会集合OBACに直面している」ということの意味である。

さらにここで図に示されている通りの無差別曲線を仮定すれば（無差別曲線の意味については省略）、この人物は点Aを選択することで、効用を最大化することができる。というわけでこの人物はまったく働かず、その上で消費を最大化するであろう、ということになる。つまりは家にとどまる（働かない）。

続いて、別の可能性の検討のために仮定が変更される。十分な賃金を得られるチャンスがあるとするのである。この場合には、点A（働かない状態）から余暇を犠牲にしていくと、消費の水準はどんどん高まっていくことになる（このことはAからB_1への直線の傾きが大きいことによって表現されている）。よって機会集合はOB_1ACに変更される。この場合には、当の人物は（先の場合と同じ無差別曲線に従って効用を最大化して）点Dを選択するだろう。これは、ある程度余暇を減らして労働することを意味する。ということは、この人物はもし仮に十分な賃金があったなら働いていたのだが、そうではないがゆえに家にとどまっていたのだ、ということになる。

しかしながら、ここで別の人物について考えてみる。この人物は最初の人物とは異なる好み（＝異なる無差別曲線）を持っており、十分な賃金を得られるチャンスがない場合はもちろん、そのようなチャンスがある場合においても、点Aを選択する。要するにこの人は労働が嫌いであり、賃金が十分にもらえるとしても追加的に労働するつもりはないのである。

最初の人物も二人目の人物も、結果的には働かずに家に止まること（Aの点）を選択している。しかし前者は十分な賃金を得られる機会がなかったがゆえにそうしているのだが、後者は十分な機会を得られる機会があったとしてもなおそうしていただろうと言える。この違いを認識するには、結果的にどう行為していたかを見るだけでは不十分であることは、いまや明らかだろう。

[5]　式(1)は誤植と思われる部分があったため修正している。この式は時点tにおける効用u_tが関数$U(.)$によって与えられ、その独立変数はq_{1t}とq_{2t}、すなわち時点tにおける二つの財（テレビおよびその他の財）の消費量である、ということを基本にしている。仮に習慣の度合いを表す変数aがゼロである場合には、この関数は$u_t = U(q_{1t}, q_{2t})$というごくシンプルな形をとることがわかるだろう。

以下、この式の直観的な理解について補足する。

関数$u_t = U(q_{1t}, q_{2t})$に習慣の効果を加える上で、ポイントは二点ある。本文の議論をふまえれば、第一に、習慣の力が働くと、テレビの消費から得られる効用が大きくなる。このことはテレビ消費量q_{1t}を（$1-a$）で割ることにより表現される。というのも習慣の力が働くケースでは$0<a<1$なので、習慣パラメータaが大きくなるほど$q_{1t}/(1-a)$は大きな値をとることになるからである。これはテレビの消費量が効用に対して大きく影響するようになることを意味する。

第二に、習慣の力によって、人は直前の期間にテレビを見ているほど今期より多くテレビを観る。このことはq_{1t}からaq_{1t-1}が差し引かれていることにより表現されている。というのも、前期のテレビ消費量q_{1t-1}がマイナスで置かれている以上、その分だけq_{1t}をいっそう大きくしなければ効用が上がらないことになるからである（たとえば、仮に$a=0.5$として、前期にテレビをまったく観ていないならテレビを観た分だけそのまま効用が上がるが、前期にテレビを四時間みているなら$q_{1t}-2$となり、少なくとも二時間を超えてテレビを観なければ効用は上がらないということになろう）。このマイナス分もまた（上の数値例にあるように）習慣パラメータaで重み付けられており、習慣パラメータaが大きくなるほど今期のテレビ消費量を押し上げる効果は大きくなる。

以上が式(1)の補足である。なお、数式についてはひとまず脇に置いて本文の論旨を追いたい読者は、八六頁まで読み飛ばしてしまって構わない。

[6]　式(4)も誤植と思われる部分があったため修正している。

[7]　この式が表現しているのは、予算x_tとテレビおよびその他の財の価格p_{1t}, q_{2t}を所与とすると、直前の期間のテレビ消費

量q_{1t-1}が大きいほど、今期のテレビ消費量q_{1t}は大きくなる、ということである（ここでは$0<a<1$を想定している）。これは正のフィードバックメカニズムが存在するということでもある。なお、このフィードバック効果は、習慣の効果aが大きいほど大きくなることが見て取れる。

[8] この括弧内の文章は少しわかりづらいかもしれない。この語り手が、現在の消費水準、過去の消費水準、現在の選好、過去の選好の四つを問題にしていることに注意してほしい。ポイントは選好そのものが（おそらくは習慣によって）変化したという点である。語り手が述べているのは、消費水準だけを見ても過去より現在の方が望ましいことは明らかだが、その背後の選好の変化も加えて考えると、さらに意味が違ってくる、ということである。語り手は新しい消費水準に「慣れて」しまっているため、現在の選好のまま過去の消費水準に戻ればひどい不満を感じるし、また仮に過去の選好をもって現在の消費水準を得られたならば大きな喜びを感じるだろう。これは選好それ自体が置かれた状況に応じて形成されるという、「適応的選好形成」と呼ばれる問題に関連した論点であると言える。適応的選好形成についてはElster（1983）が詳しく論じている。

[9] 式(6)もまた、誤植があると思われた部分を修正している。

[10] この段落の文章は少し難解なので補足したい。ケイパビリティに対する接線（あるいは射線）によるケイパビリティの評価は、基準となる傾きをどう設定するかによって大きく変化してしまう。そこで、様々ありうる傾きの分布を把握し、その分布に対して評価の期待値を考える、というのがここで最初に提案されている方策である。たとえば傾きにはA, B, C, D, の四パターンがあるならば、それぞれに対応する評価v_A, v_B, v_C, v_Dの平均値v^*を取ればいい、というような発想である。ここでさらに、いくつかあるなかでも一つの傾き（たとえばA）が代表的である（とりわけ有力である）とするならば、平均値とこの傾きに対応する値とのセット（v^*, v_A）を指標として用いることもできる、というのが、後半で論じられている「二次元での要約」である。

[11] この節の問題設定は少しばかり複雑なので説明しておきたい。消費や所得といった経済活動のデータは家計単位で収集されるのが一般的であるが、最も単純な考え方は、複数の家計をその内実に関係なくまったく同一に扱うものであった。これに対しミュールバウアーは、「等価尺度」という考え方に基づき、家計の規模の違いを考慮する方法を発展させてきた。しかしこのやり方は、家計内の個人のあり方の多様性、たとえば家計内の意思決定や家計内分配の問題については考慮の外においている。それゆえ家計の間の違いをいっさい考慮しないそれ以前の単純すぎるやり方よりは現実を適切に捉えていると言えるが、なお十分とは言えないと考えるのがセンである（レクチャー2）。ミュールバウアーはこの第5節を通じて、センの批判の意義を認めてその問題関心を受け入れつつも、等価尺度モデルの有用性の擁護を試みている。

[12] 式(10)もまた、誤植があると思われた部分を修正している。

生活水準——不確実性・不平等・機会

ラヴィ・カンブール(*)

1　序　論

地上の幸福の最も晴れた見通しに(Upon the fairest prospects of earthly happiness,)
不確実さや不運は付き物である(attend uncertainty and mischance)

マディングレー教会の墓碑銘(Epitaph in Madingley church)

〔アマルティア・センがレクチャーの冒頭で述べたように、〕生活水準(the living standard)というアイデアよりも身近なものを考えつくことが困難であるならば、それと同じくらい、不確実性というアイデア以上にすみずみまで行き渡った現象を考えつくことも困難であるに違いない。〔ケネス・〕アローが指摘したように(Arrow 1971)、経済生活のほぼあらゆる側面、そして生活一般は、不確実性によって影響される。それでは、不確実性の存在は、生活水準を概念化する上でどのように影響するのだろうか。この問いこそ、一連の論評が述べられてきた問いなのである。このコメントでは、限られた数の問題に言及することしかできない。また、センのレクチャーが提起したいくつかの主要な論点に焦点を絞ることにする。

センによる第一のレクチャーの核心にあるのは、生活水準の効用基底的な見方への批判である。生活水準についての競合的多元性の見方、と彼が呼ぶところの観点から、センは効用アプローチを明白に拒否する。第二のレクチャーにおいて、センは続けて、それに代わる議論の道筋を示し、生活水準へのケイパビリティ・アプローチと呼ばれるものの擁護へと到達する。しかしながら、センも十分に気づいているように、このアプローチが採る構成的多元性の観点に照らして、整理しなければならない問題がなおいくつか残っている。これから見るように、不確実性を考慮することは、生活水準に関する競合的多元性および構成的多元性の、両方の見方に影響を与える。とりわけ、不確実性〔の考慮〕によって効用基底的な見方に対するセンの批判の多くが補強される一方、ケイパビリティ・アプローチの構成的多元性に関するいくつかの扱いにくい――それでいて真剣に注意を払うに値する――問題が提起され、強調されるということを論じるつもりである。

2　《セン》と《ウィリアムズ》の例[1]

諸々のアイデアに焦点を当てるために、以下の例を検討しよう。《セン》と《ウィリアムズ》という二名の個人がおり（形式的な表記にこだわりたい方は、これらの個人をそれぞれAおよびBとみなしてもらってかまわない）、また、ケーキが一つある。不確実性を導入したいので、二人に次の選択肢を与えることにする。ケーキを平等に分割するという選択肢か、または、〔事実として〕公正であり、かつ公正であることが知られているコイントスで決めるという選択肢である。《セン》と《ウィリアムズ》は、どんな決定を下すだろうか。私にはわからないが、次のように例を設定して考えてみたい。両者ともが、ケーキを平等に分割するよりもコイントスのほうを選択し、その結果として、コイントス後に一人がケーキをすべて受け取り、もう一人は何も得られないことになるとする。（タナー・レクチャー講師に敬意を表して）《セン》がコイントスに勝ち、《ウィリアムズ》が負けると想定しよう。

コイントス後の行為者二名の生活水準には、一見して多大な不平等がある。私たちのあいだに平等主義的感情が引き起こされ、そうして私たちはケーキの分配を平等化するよう措置を講ずるのだとしてみよう。この平等主義を食い止めるために、《セン》はどんな種類の議論を用いるだろうか。言うまでもなく、自分はケーキが大嫌いであり嫌悪してさえいるため、〔多くのケーキを受け取っているといっても実際には〕非常に惨めな状態にあるのだ、という議論を《セン》が用いないことはわかっている。この議論に対する適切な応答は当然ながら、〔もしそういう理由で惨めだというなら〕自分のケーキをすべてかわいそうな《ウィリアムズ》に与えよ、と《セン》に伝えることである。そうすることで、ケーキの分配を平等化しながら両者をより良い状態にすることになる。《セン》はここで次のような議論を持ち出してうまく切り抜けようとするかもしれない。実際のところ、自分はケーキが大好きで、ケーキを手に入れ、食べたいのであり、もっと欲しいのだが、他方で《ウィリアムズ》はケーキの素晴らしさをそれほど評価していないがゆえに、自分はより多くのケーキを有するにもかかわらず《ウィリアムズ》よりも幸せではないのだ〔それゆえ自分から《ウィリアムズ》へとケーキを移転するべきではない〕、と。しかしもちろん、私たちはみな今やもうセンの第一のレクチャーを読んでおり、このような効用基底的な議論を片付ける方法を知っている。この問題をめぐる事実は次のようなものである、と私たちは《セン》に語る。富あるいはケイパビリティどちらの観点から計測するにせよ、この社会はケーキを勘定の単位、交換の媒介物、また価値の蓄えとする社会であるのだから、あなたは《ウィリアムズ》よりも高い生活水準にあるのだ、と。そしてまた、あなたのケーキをすべて取り上げて《ウィリズムズ》に与えることで、生活水準を平等化することを私たちは望むのだ、と。

ここにいたって《セン》は、第二のレクチャーの議論へと目を向けて、次のように論じる。ひと勝負の後にケーキを再分配することは、ケーキを賭けてコイントスするか、それともケーキを平等に分割するかどうかを決定する彼の自由を否定するのと同じことである。《セン》が公明正大に勝ち取ったケーキを取り上げることで、私たちは彼の事後の（*ex post*）生活水準を減少させることになるのかどうか、そこのところはわからない。しかし、《セン》の事前の（*ex ante*）ケイパビリティを減少させることはたしかであり、またおそらくはそれと同じくらい重要なことに、安全策を取るよりは賭けに出るという彼の選択を実質的に無効化することで、《ウィリアムズ》の事前のケイパビリティも同様に減少させてしまうのである。もちろん、事後のケーキの譲渡を却下するか否かについて選択せねばならないという見通しに直面したとき、はたして《ウィリアムズ》はどのようにして事前の選択肢のくじに参加する自分と《セン》の自由を擁護するだろうか、と推測するのは興味深いことである。とはいえ、ここまでのところでこの例は中心的問題への導入の役割をすでに果たしたので、ここからはより詳細な分析に移るときである。

3　不確実性、および生活水準の効用基底的な見方

生活水準の評価に効用を用いようとする主張を議論するなかで、センは効用についてありうる二つの用法を区別している。すなわち、評価対象（object of value）としての用法と評価方法（method of valuation）としての用法である。これとはまた別の軸で、効用を定義する方法には少なくとも三つの異なるやり方がある。すなわち、快楽、欲求充足、そして選択である。その結果〔2×3で〕生じる六つの欄それぞれについて、センは効用を用いる見方に対する細部まで行き届いた批判を行っている。六つの類型のいずれにおいても、効用と生活水準との結びつきは弱いと論じられる。つまり、「それは兄弟関係というよりもむしろ、遠い親戚の関係である」〔本訳書三二頁〕。不確実性の存在は、この評価にどのように影響するだろうか。

不確実性下での合理的選択の理論は、今では非常に発展しており、またここでその詳細に分け入る必要もない。次のことを言えば十分である。すなわち、一定の公理の下では（Arrow 1971を見よ）、複数のくじ〔＝不確実性と結びついた選択肢〕のあいだでどれを選択するかは、各々のくじの期待効用によって導かれる。ここで期待効用とは、〔くじから帰結しうる〕各々の結果からもたらされる効用を、確率によって重み付けした、その総和である。前提となっている公理は、もちろん論争の余地のないものではないが、以下では「期待効用定理（expected utility theorem）」が成り立っているものと仮定する（Machina 1982は、たとえ公理の中でもより論争的な一つが侵害されるとしても、期待効用定理と同種の結果が——局所的のみにではあるが——依然として得られうることを示している）。不確実性が提起する主要な問題は、事前の評価（*ex ante*）と事後の評価（*ex post*）との対立の問題である。生活水準は、事前に評価されるべきなのか、それとも事後に評価されるべきなのか、あるいは二つの何らかの組み合わせで評価されるべきなのだろうか。

事後に評価する見方を採るならば、くじ〔の結果として生じた不平等〕の修正が行われることになり、個人は現実に生起した結果に向き合うことになる。彼の生活水準はどうだろうか。効用基底的な見方に対するセンの批判が、この状況に直接当てはまることは明白だろう。快楽としての効用ないし欲求充足としての効用は、生活水準を満足に反映するものではないと論じることができる。また実際、こうした根拠に基づいて、私たちは《センン》と《ウィリアムズ》の例においてケーキの再分配に抗する議論の一つを退けたのだった。しかし、不確実性のケースによって強調されるのは、事後の評価においては、選択〔としての効用〕は福祉（well-being）を反映する上で根拠が弱いことである。センが正しく批判したように、〔選択と福祉の〕二つを単純に同一視することは、〔生活水準に関心を持つ〕動機の複雑さを見落とすものである。たとえば、人が何らかの理由があって人生を諦めようとしている、そのことの是非を判断したりその詳細を描写したりする際に、その理由が独立変数として組み込まれているところの効用関数の最大化の観点に立つことは非常に馬鹿げているだろう。だが、これよりも単純かつ直截な批判がある。すなわち、選択とは定義からして事前のものなのである。私はとても大きな幸せとともにリスクを負うことを選択するかもしれないが、ひとたび（憂鬱な）結果が告知されたならば悲しみにくれるだろう。その結果は当然ながら、確率的状況においてくじを選択することで選ばれたのである。結果と行為との間にある多対一の対応関係、不確実性下での選択を定義付けるこの特徴は、選択、効用、生活水準の間にある結びつきを掘り崩すものである。

事前に評価する立場についてはどうだろうか。ここでも再び、もし効用を期待効用の形で取り扱うのであれば、生活水準の適切な評価として効用を用いることに対するセンの批判が妥当するだろう。期待効用を快楽という精神状態として捉えようと（Broome 1984 はそれに反対した）、欲求充足として捉えようと、選択として捉えようと、いずれにせよセンの議論はくじによる快楽、くじへの欲求、複数のくじのあいだでの選択といった観点に対して妥当するだろう。そのため、事前の評価と事後の評価のどちらの見方を採ろうと、生活水準の効用基底的な評価に対するセンの批判は、直接に妥当性を有するか、あるいはその説得力を強められるように思われる。

4　不平等――事前の評価と事後の評価

もう少しの間、効用の枠組みにとどまらせてもらおう。またさらに、《セン》と《ウィリアムズ》が――コイントス後には《セン》がケーキを有しており、《ウィリアムズ》は有していないという事実をもちろん除けば――あらゆる点で同一であるとしよう。《セン》と《ウィリアムズ》からなるこの社会に、不平等はあるのだろうか。当然ながら、この問いに対する一つの反応は、これが問いになっていないないと述べることだろう。つまり、事前の評価では平等であるが、事後の評価では不平等であるのだから。とはいえ、この反応を受け入れて、事柄をそこでそのままにしてしまうとすれば、それは残念なことだろう。好むと好まざるとにかかわらず、〔事前の評価と事後の評価の〕二つを互いに比較検討し、また、ことによれば一方が他方に対して優位性があることを確立しようと試みるチャンスは、潜在的に存在する。たとえば次のように論じることができるだろう。《セン》と《ウィリアムズ》は事前の評価では平等であったのだから、〔事後の評価では〕ケーキが《セン》にはあって《ウィリアムズ》にはないのを見て、私たちに平等主義的感情が喚起されるいわれはない、と。

こうした線に沿った、とりわけ力強い議論がミルトン・フリードマンによって提出されている(Freedman 1962)。また公正を期せば、事前に評価する見方の優位性を確立しようとする彼の試みは、暗黙のものではなくむしろはっきり明示されている。フリードマンは、〔『資本主義と自由』の〕「所得の分配」と題された〔第10〕章において、アダム・スミスの差異補償原理(principle of compensating differences)[2]を用いて議論の口火を切っている。この原理によれば、たとえば一部の仕事が他の仕事よりも魅力的である場合には、効用を平等化するために、貨幣所得の不平等がしばしば要求される〔すなわち、魅力的である仕事ほど賃金が安くなるということが起こる〕。フリードマンはこの原理を実に巧みな方向へと拡張していく。

市場のはたらきを通じて生ずるもう一つの種類の不平等もまた、いくぶんかいっそう微妙な意味において、処遇の平等を実現するために――あるいは別の言い方をすれば、人々の嗜好を満たすために――必要とされる。それは富くじの例によって説明するのがいちばん簡単である。個人のグループを考え、これらの人々は当初に平等な資力をもっていて、一同が非常に不平等な賞金つきの富くじに参加することに自発的に同意するものとしよう。その結果生ずる所得の不平等は、問題の人々が彼らの当初の平等を十分利用することができるようにさせるために必要なことは確かである。……生産物に応ずる支払いによって生ずる所得の不平等の多くは「均等化する」差異か、それとも不確実性に対する人々の嗜好の満足を反映している。[3]

もちろん、観測される所得の不平等のうちどれくらいが「事前の平等」のせいだと考えられるかについては、開かれた問いである（私は別のところで、リスクをとる度合いと不平等の度合いとの関係性について研究したことがある（Kanbur 1979））。しかし、フリードマンによる議論の主旨は、はっきりしている。すなわち、リスクをとるという行為があることで、観測される不平等は介入と再分配の必要性を過大評価するものとなっている、ということである。《セン》と《ウィリアムズ》の例は、この問題――事前の平等と事後の不平等との対立という問題――をくっきりと提示する純粋な事例なのである。おそらくフリードマンは、この事例において介入する理由はまったくないと論じるだろう。

《セン》と《ウィリアムズ》の例を、表の形式に書き入れてみよう〔表1〕。〔出来事に対して〕等しい蓋然性を有する二つの自然状態があり、それぞれH（Heads〔表〕）およびT（Tails〔裏〕）とする。措置Aは、ケーキを平等に〔なるよう〕再分配することでコイントスの影響を無効化するが、措置Bは、結果をそのままにする。Hは《セン》が勝つこと、またTは《ウィリアムズ》が勝つことを意味するものとしよう。括弧内の項目は、異なる事態の下での各人の効用を示しており、はじめに《セン》の効用、次に《ウィリアムズ》の効用が示されている。《セン》と《ウィリアムズ》――両方の行為者は〔諸々の点において〕同一であることが想定されている――へのケーキの配分の評価には、同じ効用関数が用いられる。

表1　《セン》と《ウィリアムズ》の例

		自然状態	
		H 〔《セン》が勝つ〕	T 〔《ウィリアムズ》が勝つ〕
措置	A 〔事後的再分配あり〕	[U（1/2）、U（1/2）] 〔《セン》も《ウィリアムズ》も1/2ずつ受け取る〕	[U（1/2）、U（1/2）] 〔《セン》も《ウィリアムズ》も1/2ずつ受け取る〕
	B 〔事後的再分配なし〕	[U（1）、U（0）] 〔《セン》が1を、《ウィリアムズ》が0を受け取る〕	[U（0）、U（1）] 〔《セン》が0を、《ウィリアムズ》が1を受け取る〕

〔※効用関数U（.）の形は《セン》と《ウィリアムズ》で同じ。〕

私はこの例を、〔ジョン・〕ブルームによるマイケルとマギーの例（Broome 1984）——もともとは〔ピーター・〕ダイアモンドによって提案された（Diamond 1967）——とは区別したいと思う。その例では、あらゆる結果において事後の不平等があるのだが、ある行為に伴う期待効用は、別の行為に伴う期待効用よりも平等になっている。〔これに対して〕《セン》と《ウィリアムズ》の例では、ある措置の下では別の措置の下にあるよりも期待効用が平等になっている。ブルームの問いは、実現される効用における不平等の度合いを所与として、期待効用の平等を促進すべきかどうかという点にある。私の問いは、期待効用における不平等の度合いを所与として、実現される効用の平等を促進すべきかどうかにある。この問いに対するフリードマンの解答は、《セン》と《ウィリアムズ》の例の文脈では、ノーだろう。けれども私は、解答はイエスであると論じたいと思う。

しかしながら、議論をさらに展開する前に、《セン》と《ウィリアムズ》の例が有する一つの特徴を検討すべきである。その特徴は、事柄をいくぶん複雑にすると考えられるかもしれない。すなわち、期待効用における不平等の度合いは、AとB両方の下でゼロであるが、もしもU（.）がリスク愛好性を示すならば、期待効用の共通水準は、AよりもBの下でより高くなるのである。

実際のところ、《セン》と《ウィリアムズ》の両者が平等分割という安全策を選ぶよりも賭けに出ることを選択した以上、そうなることは間違いないと言える。事実〔その場合には〕、事後の効用の総和は、HあるいはTのどちらが生じようとも、AよりもBの下でより大きい。AよりもBが選好されるはずだというフリードマンの主張は、これら二つの要因のどちらかをその正当化に用いているのかもしれない。しかしながら、事後においては、AよりもBの下で効用の総和がより大きくなる一方、効用の不平等もまたより大きくなる。つまり、社会的選好が不平等よりも総和をより重要視するのはもっともであるが（あるいは、もっともだとは言えないのかもしれない）、要点は、仮にも平等主義者であるならば、事後の効用の不平等にも何らかの重要性が付されるべきだという点にある。ここで、（両方の行為者にとって同じである）期待効用がBの下でより高いのであるからAよりBが選好されるはずだ、という議論を用いるならば、ブルームによる反論——期待効用はそれ自体で本質的な価値をもたない——にぶち当たることになる（Broome 1984）。すなわち、期待効用は、効用（もちろん、これには本質的な価値がある）の数学的な期待値に過ぎないのである。期待効用は、効用の総和の指針でありうる——より高くなるにせよ低くなるにせよ——が、それ自体として価値付けられることはない。

実のところ、もし期待効用が本質的な価値をもたないならば、AとBという二つの措置の間で判断を下すにあたって、期待効用が平等であるということから何の特別な要求も引き出すべきではない。そこで、BとAの間での比較を特徴付ける四つの要因の全体像を見るならば、次のようになる。〔《セン》と《ウィリアムズ》との間で〕期待効用の不平等はAとBのいずれにもなく、〔Aより〕Bにおいて両者の期待効用はより高く、Bにおいて〔両者の〕効用の不平等はより大きく、Bにおいて効用の総和はより高い。後ろ二つの要因のみが重要である。つまり、とりわけ期待効用が平等であるからといって、そのことは実現される効用の不平等における〔両者の〕差異を重要視しなかったり、あるいはその重要性を非常に小さく見積もったりする理由にならないのである。

ここまで、私は基本的に、効用の数学的な期待値は効用と同じものではないというブルームの議論に従ってきた（Broome 1984）。仮に二つが同じものだと想定してみよう。それならもちろん、前述の議論は維持できないことになる。しかしながら、さらに別の方法で、事後の評価を擁護する論陣を張ることができる。事前に評価する見方に対する賛意の背後にある直観的な説得力は、その大部分が、もしも諸個人が「自分の行っていることをわかって」いれば、自らが自由に選択した行為の帰結を引き受けることが認められるはずだ、という議論にある。自由をめぐる問いについては次節で取り組むつもりであるが、ここでは次のことを示唆することで、この議論の背後にある直観に異議を申し立てしたい。つまり、諸個人が自らの行為の帰結を十分に知る、あるいは正しく認識することは不可能だろうということである。こうした線の議論は〔G・L・S・〕シャックルによって探究されてきた（Shackle 1965）。もっと広く知られるに値すると私が考える一節の中で、彼は次のように述べている。

> 情報が——それは人間の心の中に実在するもの（またそのようにしてのみ真に実在するもの）として——予期された効用と回顧された効用が必ず同じものになるだろう、という意味において完全であることが必然的に可能でなければならない、とは私は考えない。私がこの上ないほどの大金を持った若者だと想定してみよう。私は青年期のあらゆる喜びを追い求めることに決める。私は、そうすることでその大金を使い果たすことになるとわかっているわけだが、そんな私は読者も知るであろう、聖書の物語のまさに「放蕩息子」である。中年になったとき、私は自分が困窮しており後悔で一杯になっていることに気がついたのだが、後悔は予見されていたのだ。二つの瞬間、つまり二つの異なる日付は、同じ瞬間とはなりえない。つまり、日付が異なるならば、一つの出来事、一つの行

為、一つの状況に対して——それらは客観的には一つの、そして同一の出来事あるいは行為なのだが——同一の意味を（当人にとっての意味として）与えることはできないのである。人間の観点からすれば、知識は明日の飢えを今日感じられるほどに完全なものでありうる、と考えることはできないと私は思う。

私は、シャックルの議論——これは似た調子で書かれた〔V・〕ムカルジーによる論文（Mukerji 1965）についてのコメントで提示されたのだが——に訴えかけるものがあることを認めたい。それは私や他の多くの人たちが無保険の洪水被災者に感じるであろう共感、また、洪水被災者を援助する政府の方策に——たとえば、被災者は（十分な保険に入っていない）自らの行為の帰結を直ちに引き受けねばならないと言い出すことで——反対したい気持ちに強く駆られることはない理由の背後にあるものである。

もしもシャックルの議論が説得力あるものであり、議論の詳細を整えてその結論を導き出すにはさらに思索を深める必要があることが認められるに違いないとすれば、事前と事後で私たちは異なる動物なのだと述べるための論拠を持つことになる。すなわち、「彼は自分の行っていることがわかっていた」という言明の直観的な訴求力には、「明日の飢えを今日感じることはできない」という言明の直観的な訴求力を闘わせることができる。後者が何らかの説得力を持つ限りでは、《センズ》へとケーキを再分配することに論拠を与えることができる。もちろん、この再分配のルールが普遍的に知られ、かつ正しく認識されるならば、インセンティヴ効果が生じることは事実である。それならそれでよい。私たちは皆、経済学という〔ここで論じているのとは〕別の領域では、ケーキを平等に分配することがケーキの大きさの観点からすればコストになりうることに気がついている。しかし、コストがかかることは、目標の一つとして平等を掲げることをやめる理由にはならない。また、事前の平等が、目標の一つとして事後の平等を掲げることをやめる理由にはならないこともたしかなのである。**表1**の観点からすれば、ひと勝負する前にくじの結果についてわかっている効用の帰結を表すための効用関数と、ひとたび結果が知られた際の実際の効用を表す効用関数は、同じではない。事前の効用関数を用いる場合、期待効用を通じて行動を予測するために用いることはできるが、行動を評価するために用いることはできない。もちろん私は、そのような定式が私たちの合理的選択の定式とぴったりとは調和しないことを自覚しており、また、「明日の飢えを今日感じることはできない」という直観をいかにして正確に定式化できるか、わからない。しかし、一例として〔トーマス・〕シェリングは、自制と合理的消費者の分析において、事前／事後問題に十分に気づいており（Schelling 1984）、また〔バーナード・〕ウィリアムズは、それとは異なる文脈において、事前と事後の区別をうまく取り上げている（Williams 1981）。私がここで論じようと望むのはせいぜい、シャックルの議論がいくらかの重要性を有しており、合理的選択の理論に反するにもかかわらず、《セン》と《ウィリアムズ》の例において、事後の評価を支持する方向へと私たちを押しやるということである。

5　ケイパビリティと自由——事前の評価と事後の評価

第2節で示唆したように、《セン》は、私たちの平等主義的感情に対する自身の効用基底的な反論がくじかれたことを受けて、私たちがケーキを《ウィリアムズ》に有利に再分配したいと望まないように誘導する、また別の方針を試みるかもしれない。すなわち、センの第二のレクチャーを受けて、《セン》はそうした再分配が自分と《ウィリアムズ》両方の生活水準を減少させると論じることを望むかもしれない。というのも、再分配は実質的に、不平等な賞金が伴うくじに両者が参加する機会を否定するからである。さて、くじに参加する《セン》の自由を擁護する論陣を張ることに関して言えば、ミルトン・フリードマンが最初にその地点に達したことは、驚くことではないだろう。フリードマンは、先に引用したのと同じ一節において、「事後に所得を再分配することは、富くじに参加する機会を彼らに拒むことと同じである」[4]と論じている。フリードマンは続けてこの文脈で、再分配のために課税することにも反論している。なぜなら、「実生活上の富くじで誰が賞金を引き当て、誰が空くじを引いたかがすでにほとんどわかってしまったあとで租税が課されるのであって、しかも税金は主として、自分が空くじを引いてしまったと考える人々によって票決される」[5]からである。また、《セン》と《ウィリアムズ》の例が空想的でありさして重要ではないと思われないように付け加えれば、〔以下に示すように〕フリードマンは、《セン》だけでなく私自身が擁護するものにも同じく触れている。

この事例は、「富くじ」の観念を文字どおりに受け取った場合に一見して思われるよりも、実際上はるかにいっそう重要である。人々は職業や投資その他の選択を、一部は不確実性に対する彼らの嗜好に応じて行う。公務員になるよりは映画女優になろうとしている若い女性は富くじに加わることを意図的に選択しているのであり、公債の代わりに安物のウラニウム株に投資する人もそうである。[6]

ここでは《セン》と《ウィリアムズ》の例に注力し、効用基底的な見方を放棄してケイパビリティ基底的な見方に移行しつつ、次のことを問おう。すなわち、《セン》がケーキを有しており《ウィリアムズ》は有さないという事実にもかかわらず、《ウィリアムズ》の生活水準は《セン》のものと同じであるのか、と。繰り返すが、事前には同じであるが、事後には同じではないという評価で満足する誘惑を避けねばならない。向かい合うべき本当の問題が存在するのであり、それを避けてはならない。同じ問題に触れつつまた別の形で問えば次のようになる。仮に《ウィリアムズ》が最初から、〔事後の再分配によって〕実質的にはくじに参加するチャンスがないことをわかっていたならば、〔自由が奪われているという意味において〕彼の生活水準はより低いことになるのだろうか、と。なるほど、明らかに《ウィリアムズ》のケイパビリティの一側面、つまりくじに参加するかしないかを選択する彼の自由は、減少した。しかし、ケーキを得られるか得られないかという不安定な生活におかれることなしに生きていくことができるよう、《ウィリアムズ》の事後のケイパビリティは、拡大することになるだろう――結局はケーキ無しとなるかもしれない1／2のチャンスがある（そのことを私たちも彼も知っている）くじを伴いながら。

それでは、ある人の事後のケイパビリティを制限する事前のケイパビリティ、あるいは、事後のケイパビリティそれ自体のどちらにより大きな価値が与えられるべきなのだろうか。《ウィリアムズ》には、ケーキを得られるか得られないかという状況で恥ずかしい思いをして生活することになる可能性〔のある選択肢〕を選択する自由が認められるべきなのだろうか。またしても私たちの直観は、私たちが次のことをどの程度信じるのかに左右されるのだと私は主張する。すなわち、ケーキがすべてである社会でケーキなしの恥ずかしい生活を送ることが何を意味するのかを、《ウィリアムズ》が本当に正しく認識しているとどの程度信じるのかである。もしも、シャックルに従って、明日の恥ずかしい思いを今日感じることはできないと考えるならば、そうした賭けに出るケイパビリティを制限すべきとする論拠は強化される。注意を向けるべき適切な焦点は、《セン》と《ウィリアムズ》が――最終的にどんな状態に落ち着く可能性があるかではなく――最終的にどんな状態に実際に落ち着くかにある。もし選択が不正確な理解に基づくのであれば、適切なのは、機会ではなく結果である。そしてシャックルが論じているのは、当然のこととしてそうであるに違いないということである。

6　ケイパビリティ基底的な見方における構成的多元性と支配関係による理由付け

センはレクチャーの中で、「支配関係による理由付け（dominance reasoning）」と呼ぶものをしばしば用いている。つまり、もしも状況xがyよりも一部の評価対象をより多く有しており、かつ、その他のいかなる対象についてもより少ないということがないならば、[7] xはyに対して支配的だと言われる。この支配関係による理由付けは、代替的選択肢の空間において部分順序を引き起こし、また、センが注記するように、生活水準の特定の見方に関する構成的多元性の問題を解決するにあたっては、「この方向で得られるものを無下に退ける理由はない」〔本訳書五七頁〕。しかし、この方向でどれほどのものが得られるのだろうか。

不確実性〔を考慮すること〕が重要であり、また、《セン》と《ウィリアムズ》の例が重要であるのは、それによってケイパビリティ・アプローチにおける構成的多元性[8]に関して、支配関係による理由付けが失敗するような状況に光が当てられるという点にある。大惨事へと至りうる危険を選択することを諸個人に認めれば、ある個人にとっては大惨事へと必ず至ることになる、ということがこの問題の本質にある。不確実性〔という概念〕を導入することでこうした葛藤が提起され、またそうすることで、異なるタイプのケイパビリティに与えられる相対的重み付けという――支配関係による理由付けが助けにならない――問題に向かい合う義務が私たちに課せられるのである。

7　結　論

要約しよう。一連のコメントで私は、不確実性〔という概念〕を導入することでセンの議論にもたらされる帰結のあらましを描こうと試みてきた。生活水準についての見方をめぐる競合的多元性の観点からすれば、不確実性の存在は効用基底的な見方に対するセンの批判の説得力をいくぶんか強める。〔他方〕ケイパビリティ基底的な見方をめぐる構成的多元性の観点からすれば、不確実性は次の事実を強調する。すなわち、異なるタイプのケイパビリティや自由の間で選択がされねばならず、支配関係による理由付けは救済をもたらさないであろう。

　不確実性が導入する決定的要素は、事前の評価と事後の評価との区別である。《セン》と《ウィリアムズ》の例は、効用基底的なアプローチとケイパビリティ基底的なアプローチの両方において、〔事前の評価と事後の評価との間に〕葛藤が生じうることに光を当てる。ブルームの線、またシャックルのいくぶんより異端な線の両方に沿って、私は、評価という目的にとって事後的に評価する立場のほうに優位性があることを論じてきた。諸個人は自らの行為の帰結を十分に正しく認識することはないだろうということ、つまり明日の飢えを今日感じることはできないということは、合理的選択の諸理論とは折り合いが悪い。実際、私たちがここで用いている意思決定理論の枠組みにおいて、いかにして合理的選択に首尾一貫性を持たせられるのかは明らかでない。けれども私は、この概念は直観的な重要性を有すると考えており、また、この概念に数理的な土台をもたらす、よりきめ細かな思想を求めたい。シェリングもまた、そのような営為を歓迎するだろうと感じている（Schelling 1984）。

　最後に《セン》と《ウィリアムズ》の例に戻れば、私たちにわかっているのは次のことである。《セン》から一部のケーキを取り上げて《ウィリアムズ》に与えることに私は賛意を示すだろうということ、また、そのような制度編成は実際には両者の生活水準の壊滅的な低下へとつながるだろうという議論に私はそれほど説得されないだろうということ、以上のことを知って《ウィリアムズ》はきっと喜ぶだろうということである。

原注

（＊）私は、アマルティア・センとの過去数年間にわたるこの問題についての議論および手紙のやりとりから恩恵を受けている。

訳注

［1］以下の例は、現実のセンやウィリアムズについて述べたものではなく、説明のために導入されたものである。そのような例に関する文章においては区別のために《セン》や《ウィリアムズ》と表記する。

［2］ここでスミスが述べていることは、賃金の差異が他の点（たとえば仕事に伴う労苦）の差異を補償する機能を果たしているということであり、補償的賃金差異（compensating wage differentials）とも呼ばれる。『国富論』第一編第一〇章においてスミスは、直接にこれらの語を用いているわけではないものの、次のように述べることでこの原理を示唆している。「たしかに金銭での賃金と利潤は、労働と貯えの用途がことなるのに応じて、ヨーロッパのどこでも、極度にことなっている。しかしこの相違は、一つには職業そのもののある一定の事情から、すなわち……ある職業での金銭的な利得が少ないのを補い、他の職業で利得が多いのを相殺するような事情から生じ」るのであり、その事情には「職業そのものの快・不快」や「職業の習得が容易で安あがりか困難で高くつくか」といったものがある（Smith, A. 1976 [1776]. *An Inquiry into the Nature and Causes of the Wealth of Nations*, 2 vols., edited by R. H. Campbell and A. S. Skinner, textual editor W. B. Todd, in The Glasgow Edition of the Works and Correspondence of Adam Smith, Oxford University Press: vol. 1, 116.／水田洋（監訳）杉山忠平（訳）『国富論』岩波書店（岩波文庫）、第一巻、二〇〇〇年：一七六頁）。

［3］Friedman, M. 2002 [1962]. *Capitalism and Freedom*, The University of Chicago Press: 162-163.／熊谷尚夫・西山千明・白井孝昌（訳）『資本主義と自由』マグロウヒルブック、一九七五年：一八二―一八四頁。

［4］Ibid.: 162.／同右：一八二頁。

［5］Ibid.: 163.／同右：一八三頁。

［6］Ibid.: 162-163.／同右：一八二―一八三頁。

［7］原文では less of any other than となっているが、レクチャー1を参照し（本訳書一八頁）、no less of any other than の誤りであると判断して訳した。

［8］原語は constitutive pluralism であるが、内容的に構成的多元性（constitutive plurality）を指しているので、「構成的多元性」と訳した。

コモディティ化と生活水準

キース・ハート

1　序　論

私が取り組む実質的な問いは、生活水準（living standards）が産業社会や商業社会の興隆――「コモディティ化（commoditisation）」[1]という不恰好な造語でもって私が要約する現象（Hart 1982b）――にどのように影響を受けるか、というものである。商品経済の進化を理解したいのであれば、それが何でないかについて語ることもできねばならない。あらゆるところで人々は何らかの事柄を独力でなしており（自己供給 self-provisioning）、かつ、自らの財や労働（商品 commodities）を売っている。それゆえ現代経済は、コモディティ化の不規則なプロセスであり、そこでは商品と非商品とのバランスに大きな変化があるのが普通である。このことは、生存（subsistence）と市場との間に絶対的な対照性があるということではない。なぜなら、世界中のあらゆる家族は現在のところ、家計という消費単位の内部において、販売と購入という分化した行為と、相対的に未分化な仕事の遂行とを両立させているからである。それどころか、拡大したり縮小したりする市場依存への強調点の移行について語ることは、より適切なことだろう(1)。

商品生産が経済生活において支配的である場合、生活水準は量として概念化するほうがよりいっそう容易である。経済分析はその黎明期には、商品価値の測定に固有の科学的可能性（＝国の富の客観的把握〕の認識に支えられていたし、その上、これとほぼ同じことが、今日の経済学の正統派にも当てはまる。〔これに対して〕無給労働の価値は、商品価値よりも測定するのが難しく、そして、たとえ私たちが生活水準の内容を最も狭義のものへと自己限定するとしても、生活水準はつねに〔商品と無給労働の〕両方から構成される。生活水準に対する自己供給の貢献度を、現在の商品価格の観点から評価するのは誤解を招くものである。この論文の大部分は、これら二つの領域の間の関係に特徴的な変動を評価することに向けられる。

このようにコモディティ化に焦点を当てることは、未開発地の経済的変容に対する興味関心と結びつくとき、とりわけ古典派経済学者たちが採ったアプローチを取り入れることにつながる。彼らも同様に、商業と産業が社会――それは部分的には別の諸原理に従って構成される――にどんな影響を与えるかに心を奪われていたのである。アマルティア・センは、〔ウィリアム・〕ペティ、〔アダム・〕スミスおよび〔カール・〕マルクスを虜にした問題を非常に広い視野で眺めているが、彼らが抱えた理論的限界からさらに踏み込んでいる。センは〔ジョン・メイナード・〕ケインズに共鳴し(2)、「なぜ私たちは、厳密なやり方で間違っているほうが良いとし、漠然と正しくあるのを拒否しなければならないのだろうか？」〔本訳書六二―六三頁〕と問いかけた上で、単に利便性のあるものが必ずしも最も適切なものであるわけではないと付言する。その言い分はよくわかる。しかし測定の問題は、簡単に脇に置いておけるものではない。ウィリアム・ペティが政治算術の博識な考案者であり、かつ、イングランドの最初の体系的経済学者であったのは偶然のことではない。一七世紀の商業革命と科学革命（ついでに言えば、ルネッサンスのイタリアや前六世紀から前四世紀のアテナイ）には、大規模な市場の取引が可能にした、数量化の隆盛という重要な共通の土台があったのである(3)。マルクスは、交換価値のみが数量的であり、また社会法則に従属するとみなして、商品の使用価値を定める試みを完全に放棄した(4)。アダム・スミスは、ニーズが文化に相対的なものである〔つまり単純に量として把握できない〕と論じつつ、他方で賃金コスト増大の不可避の源泉であることを根拠にして、消費財への一般税を不適切なものとして退けている。しかし、スミスの全体としての関心は消費よりむしろ生産にあり、また、国富の差異の根底にある生産高の水準が社会的にどのように決まるのかということにある。スミスにとって、〔『国富論』第三編の主題である〕「富（opulence）」は明らかにある国の生産の大きさなのであり、またその生産の価値は、労働によってもたらされる商品の集計として、客観的に計測されるものなのである。(5)

もしも古典派が何かを象徴するとすれば、生活水準はある社会の生産効率性の集計的な結果だという考えこそがそれである。さらに、コモディティ化は生産における様々な拡散的趨勢と本質的に関連するものと見られていた。先進資本主義国の社会的条件が、商品生産を富として考えることを適切なものにする、ということかもしれない。だがこのコメントで採用する立場は、概して古典派経済学者たちの理論や姿勢と一致するものである。すなわち、労働生産性の根底にある趨勢が、生活水準を改善する手がかりとしてみなされる。しかもこの趨勢は歴史的に、商業的な分業の進展に依存してきたのであった。センによる生活水準の概念は、新古典派経済学における功利主義的伝統の主観主義の態度と正しくも敵対しているが、彼が用いる実例は新古典派と同様に、経済的諸関係を個人の動機と行動から成るものとして定型的に構築している。このコメントでもまた、主観主義は理論的な行き詰まりだとみなすことになるが、また〔一方で〕実例は、歴史上の諸々の社会から引き出されることになるだろう。経済分析は、私たちの投げかける問いや私たちが下す道徳的判断を形作る歴史的文脈に明確に取り組むときに、最も有益なものとなる。近代という時代の詳細にしっかりと根を下ろしたものでなければ、生活水準論争は世俗的神学の月並みな一部門と化す羽目になるのだ。

一種の実証的解釈を通じて自らの議論を展開するのが、イギリスの社会人類学者の習わしである。自らのアイデアと事実を別個の区画に収めることのほうを好む人々にとって、以下の議論は困惑させられるものかもしれない。本論文の中核となるのは、西アフリカとイギリスとの比較である。第一に、サヘル（the Sahel）[6]として広く知られる、西アフリカの乾燥サバンナ地帯に居住する穀物農家（grain farmers）および家畜飼育者（herders）の生活水準に商業が与えた影響について検討する。次に私は、とりわけイギリスの二つの事例に言及することで、産業資本主義の中核をなす経済生活の多元性について手短に議論する。二つの事例とは、一九世紀ランカシャーの最初の産業プロレタリアート、および、近年めざましい女性の現役労働力への再参入である。イギリスとアフリカそれぞれの事例の対照は、産業経済と産業化以前の経済との対照として安易に表されることもある。一方では、商品経済が行き渡っているとされ、もう一方では、それが行き渡ったのは最近のことであり、しかも偶発的なものだったと思われている。その結果として、産業化した西洋という私たちの考えは、左右両派の経済理論に沿って非常に抽象化され、また過度に単純化されており、他方でアフリカ経済のエスノグラフィーによる記述は、具体的かつ複雑なものであり続けてきた。比較のために〔西アフリカとイギリスの〕二つを共通の土台の上に置くという私の試みは、それらにおいて共有されているコモディティ化のプロセスを必然的に強調することになる。その議論は、西洋の経済モデルよりも複雑であり、アフリカのエスノグラフィーよりも抽象的である点で、記述的な中間点を占めるものである。

2　西アフリカのサバンナ[7]

西アフリカは、生態学的に見て大まかに二つの地帯に分けられる。沿岸付近の熱帯雨林地帯と、徐々にサハラ砂漠と同化している内陸の乾燥サバンナ地帯である。ほとんどの沿岸国は内陸部のサバンナ地帯を有しているが、後者の地帯は主にセネガルとガンビア、モーリタニア、マリ、ブルキナファソ

（オートボルタ）、ニジェール、チャド、そして北部ナイジェリア（その他の地域をまとめたのと同じ規模の人口を有する）からなっている。人口密度は一平方キロメートル当たり二人から、一部の集約的な農業開拓地では、一平方キロメートル当たり五〇～一〇〇人にまで及ぶ。都市はわずかしかなく、主要な行政の中心地や貿易の中継地点をなしている。海のない地域の人々は、短い雨季の間に穀類（キビ、アワやモロコシ）の栽培で生計を立てる。家畜は食料と肥料の供給源、そして牽引の動力源として飼育されている。とりわけサハラの周縁部（サヘル）において、水は稀少である。それゆえ、とくにニジェール川やセネガル川といった川は重要である。近年この地域は、広く報道されているように、旱魃と飢饉に直面してきた(8)。現代の輸出向け生産（主に落花生と動物であり、綿と米も若干ある）の成長にもかかわらず、サバンナはなお、世界で最も貧しい地域の一つである。公式推計によれば一人当たりGNPは、二〇〇～四〇〇ドルである。サバンナは、南部ナイジェリア、ガーナ、コートジボワールの都市や森林地帯へと移民労働者を送り出す主要な輸出地域である。その文化は、大まかに言ってイスラム教とアニミズムが混ざり合ったものである。識字水準は極めて低い。しかしこの地域は、西アフリカでは植民地化以前に最も発展した国家だった場所である。この地域の民族集団はごたまぜになっており、多くの場所では農業従事者（agriculturalists）と牧畜従事者（pastoralists）との明確な分業によって特徴付けられている。貿易は古代からこの地域に行き渡っていた。あらゆる農村の住民が長きにわたり市場をすぐに利用できたのである。科学技術は極度に発展が遅れている。実際、直近数十年においても、一部の灌漑と牛を使った耕作を除けば、農業とは依然として大部分がくわで耕すことなのである。輸送機関は今世紀の間に大幅に改善されてきたが、主に陸路でのことであるため、困難かつ高価で時間がかかる。ここ数年にわたり開発機関は、肉と穀物の大規模輸出地域となる潜在的可能性に注目して西アフリカのサバンナの未来像を推し進めてきた。だが現状では、この地域を構成するすべての国が食料の純輸入国である。

西アフリカと西洋の産業経済のような地域間の対照に際して、それぞれに対して根本的に異なるアプローチを採用するべきだと考えるよう促されるのはまったくありうることである。(9) 概して、極めて貧しい田舎のコミュニティは「生存」という急務に追い立てられていると考えられており、その一方で産業化された市場経済の成員は一見したところ、限界効用の推定や利潤の最大化などに駆り立てられているように見える。ここで本論文の採る立場はこうである。すなわち、いたるところで家族は自己供給するために商品と自らが労力をかけた成果とを混ぜ合わせているが、それら二つの領域の釣り合いおよびその相互作用が持つ特性は、あらゆる事例において実証的調査を認めるに足るほどに異なっている、と。とりわけ、経済分析の数量的な抽象化は、一部の社会条件によりよく当てはまるものだろうが、だからといって一部の型の社会には絶対的に適用可能だと決めてかかることは決してできないし、もっと言えば西アフリカのサバンナに典型的な諸々の社会には完全に不適切だと決めつけることも決してできない。それゆえ私は、イギリスやマリのような国々への具体的な調査から得られる避けられない結果を示唆するよりは、産業経済と産業化以前の経済との〔マックス・ウェーバーが言うところの〕理念型的な対照でもって、ありうる条件の範囲を説明することから始めたい。

西洋の産業社会では、生活水準の指標として消費される商品の数量化を頼りにする方法が部分的に正当化されているが、これは私たちの集合的なあり方を支配するようになってきた経済形態によるものである。したがって、人々は慣習的に、生産者と消費者とに分類されている。このことは、賃金生活者が通常経験するところの、仕事場と家庭との分離を反映している。つまり私たちは、ある場所で消費するために、また別の場所で生産するのである。経済プロセスにおける各々の参加者が独立していることは、個人の給料袋というかたちで具体化される一方で、家計の細分化は、今や人々の大多数の生活単位は一人か二人だけ、というところにまで達した。時間、週、月といった時間当たりで仕事に対して〔賃金を〕支払うという慣例は、労働を数量的なものとしてみなすという発想を、直観的に妥当なものにしている。そうした労働の生産高はしばしばあっさり測定され、また生活水準は、賃金の購買力として要約されるだろう。ともかく、消費の価値は市場における同等の財の現行価格として評価されうるのである。共通する生活手段の組織化のこのような発展は、数量化を知識の信頼性にとって不可欠の要件とする私たちの思考の科学革命にとっての、実質的な土台である。経済学者のモデルはそれゆえ〔このように変化した社会を捉えるツールとして〕理にかなったものであるが、不完全なものである場合には、あくまで産業資本主義経済の現実条件に対する近似値にすぎない。その産業資本主義経済では、人間の労働は人為的な環境の中で短い時間区分で販売され、また家計は多量に消費するために商品に依存しているのである。

ほとんどの産業化以前の社会は、いくつかの点で、以上の記述を否定するような状況を示すように思われる。そこでは、人々は生産したものの相当の部分を自身で消費する。そこでの所有権、協働、生産物の分配の様式にとって、本質的に、家計の細分化はそれほどふさわしいものではない。労働の量を有意味な形で特定するための土台は、専門化の世紀によっては築かれてはこなかった。むしろ、労働の供給とその生産物への需要は、広く行き渡った社会的組織に従属しており、それらは日々の生活のルーティンからそう簡単に切り分けることができない。生産は、生活する対象と労働の手段（植物、動物、土地、水）との双方を含んでおり、それゆえ、人々が行う仕事によって決定されているのは一部分にすぎない[10]。自然への依存ゆえに、コミュニティの仕事が重要な宗教的要素を含むこともまた確かである。生存のために必要な多量の財はめったに商品の形態をとらず、またこのことが、多数の商品部門を通約不可能なものにしている。そうした状況下では、経済学者の手続きを適用する上での技術的困難は手に負えないものであり、そうした努力のほとんどを実りのないものにしてしまう。

西アフリカの社会的現実は、これらの極端なタイプのどちらかに一致するというものではないが、村落は第一のタイプよりも第二のタイプのほうにより近い。輸出作物、課税、学校、賃金労働の世界は、祖先崇拝、穀物倉庫、血縁集団、複婚制といったより慣例的な世界に、漸次的に組み込まれてきた。そのため、コミュニティが販売を目的とした生産へと大きく舵を切るときにはいつでも、〔諸々の活動に割り当てる〕時間の調整を求めるいくぶんかの重圧が存在するようである。以前には相対的に分化していなかった諸々の活動が、それぞれの市場価格を持った、労働の別個の形態として同定されるようになる。それゆえ、〔子どもの〕保育と社会化は日常生活のありふれたしがらみと難なくかみ合ってきたのかもしれないが、学校教育の導入は、それらを税金や授業料によって支払われねばならない教育事業にする。西アフリカの農業は季節によって激しく変動する気候によって制約されており、8カ月間は降雨のために、最低限の穀物を栽培し続けることさえ難しい。このような理由のために、またこれに加えて低い平均人口密度や賃貸料や課税を通じた低水準の余剰抽出のために、西アフリカのサバンナの住人が食料を獲得するために費やす年間当たりの人時《にんじ》は、たとえば、ほとんどのアジア人よりもかなり少ないのである。[11]だが私たちの基準からすれば、彼らは葬儀に膨大な量の時間を費やしているように見える。植物を栽培するほうが、死者のニーズに奉仕するよりも、最低限の生活水準を確保するためのより良い方法であると、私たちは確信している。西アフリカの農民は、いたるところで厳しい自然という事実に直面しており、農場経営の重要な側面として祖先の慰めに期待を寄せているのである。しかし、農業の商業化は、必然的に時間に対する評価を転換する。すなわち、専門化した労働はますます購買力として実現されるのである。そうすると、葬儀に出席することは、近代社会が効率性と価値を測定する際に用いる三位一体の基準、すなわち時間、金銭、エネルギーの無駄遣いとして表現されるだろう。[12]したがって、大まかに言えば、もし時間が産業経済と産業化以前の経済では異なる形で調整されるならば、二つの経済の間の移行は、どれほど部分的なものであれ、困難なものとならざるをえない。私たちは、初期の産業労働者階級が、資本主義的な工場の時間的規律の範囲内で働くために社会化されたことをよく知っている[13]。私たちがそれほどよく理解していないのは、第三世界における自分たちの知的挑戦、とりわけ経済学者の知的挑戦が、いかにしてそうした地域の一貫性を欠いており主として産業化以前の経済に、しばしば近代的規律の格子（*quadrillage*）[14]を押し付けようとしているのかということである。問題は精神的なものではない――問題は言語を形作るところの制度的な対照性にあるのである。西アフリカの生活水準を語る前に、その状況にコモディティ化した経済モデルが適用できるのかを検討すべきであろう。

産業と産業化以前という二元論の論理は、一方の生活の仕方がもう一方の生活の基準によっては評価されえないという断定を容易に導く。すなわち、仕事と消費に関する二つのはっきりと異なった様式が持つ価値は、通約不可能だとされてしまう。しかし、そのような人類学的な相対主義には知的な難点があり、大抵の場合、経済学者の陽気な還元主義と同じくらい役に立たない。そこでまず、物質的剥奪と社会的福祉（social well-being）の指標として所得水準の動向を測定する試みを、西アフリカのサバンナのような諸々の社会について検討してみよう。そうした社会は、今世紀の間に相当の商業的開発に巻き込まれてきた一方で、国際基準からすれば、コモディティ化は弱いままに留まっている。センは、生活水準の指標としてのＧＮＰという尺度をめぐってなされる、正統な批判のいくつかに触れている。西アフリカのサバンナでは、重要な財とサービスの多くは、商品として市場に登場することはほとんどない。たとえば、住宅供給のストックは、ほぼ完全に無給労働によってもたらされる。徒歩での移動が、かなり長い旅路のための都市部の交通運賃に取って代わる。食料のほとんどは販売されない。穀物をミルクと、乳牛を結婚適齢期の女性と交換するといった、多数の取引が非市場ベースで行われている。疑いようもないことだが、一部の重要なセクターにおいてこのようにコモディティ化が低水準にあることは、国民所得という尺度があまりに不適格であり現実の生活水準に照らして正当化できるものではないことを意味する。加えて、ここ数十年の間、食料品、衣類、工作機械、地ビール、輸入奢侈品その他多くについてそうであったように、市場が拡大するときには、分配の制度的な変化はしばしば実態を伴わない経済成長として現れるのである。

他の誰もがそうであるように、西アフリカ人は、一部のものごとは自分で行い、他のものごとは商品という形態で購入する[15]。時として、同じ財が市場で販売されることがあれば、自己供給のために保持されることもある。それゆえ家畜飼育者は、自分の乳牛をミルクのために取っておくかもしれないし、あるいは食肉のために販売するかもしれない。国内消費が生産の唯一の目的であるときでさえ、そうした財のための市場が他の場所に存在すれば、二つの間に測定可能な等価性が示唆される。商品と非商品の生産がこうした仕方で具体的につながるとき、市場の外の消費を等価な商品の観点から評価することは、本質的な妥当性を有するようにたしかに思われるのである。したがって、もしほとんどの穀物農家が自分たちの雑穀の半分を販売し、もう半分を家族で使うために取っておくことがわかったならば、全体の穀物消費は、市場で販売された量を二倍にすることで評価されうるかもしれない。またこのやり方は実際のところ、国民所得会計においては、また第三世界の農村の所得に関心がある経済学者のほとんどにとっては、ありふれたものである[16]。しかし、この一見したところ単純な手続きにさえ、隠れたわながある。そこで家計の長たちが生存のための農産物を市場に出すのを控えるか、それとも現行価格で販売するかの選択に頻繁に直面するものと仮定してみよう。何より第一に、コモディティ化の水準が、市場価格の主要な決定要因であることは明白である。もしあるとき、「コモディティ化の水準が低いために」ほとんどの農家が穀物を市場に出すのを控えたならば、販売されるものの価格は、そうした農家が自分たちの穀物の全体を急いで販売するときの価格よりも一般的に高いものとなるだろう。

この事例は、穀物農家と家畜飼育者との間の交換によってうまく説明される[17]。通常時、牧畜従事者は、将来の損失に対して自分たちの群れを強くするために、畜牛を手元に蓄える。つまり、彼らは穀物を購入するために必要なのとちょうど同じだけのミルクと動物を販売するのである。そしてその穀物は、極めて安価である。なぜなら、西アフリカの政府は北アメリカと東南アジアから大量の穀物を輸入しており、地域的な食料価格が押し下げられているからである。こうした状況下での牧畜生産物の交換価値は相対的に高く、加えて、農村のコミュニティにおいて畜牛は婚資など広範に利用されるものであることが、その価格を高く保つ制度的圧力として作用する。しかし定期的な旱魃は、家畜飼育者に対して、彼らがそうしたいと思っているよりも多くの動物を販売するように強いる。農業民からの需要は、それと同じようには上昇しない。実際のところ農業民もまた、旱魃に苦しむだろうからである。そのため、市場における動物の過剰供給が、それらの価格の底を抜けさせる。牧畜生産物の損失と上昇する穀物価格を一時的に埋め合わせるため、家畜飼育者はより多くの穀物を必要とする。だが、目下のところ食料は概して稀少であるから、穀物農家は、できるならば供給のもっとも信頼できる源泉を手放さないようにしたいと考える。彼らが穀物を蓄えることで、市場価格はさらに押し上げられる。この規模の揺れ動きは、西アフリカのサバンナの経済に特有のものであり、その周期は短期間から長期間まで幅がある。農家の所得の推計総額はこのように、コモディティ化の水準が低い場合にいっそう高く現れてくるのである。現在の市場価格が生存に関わる生産の価値を数量化するために用いられる限り、そのようになる。

この論点は、産業経済と産業化以前の経済との間にある理念的な対照性にまで一般化されることがある。西アフリカでは、農村の市場は、世界の食料貿易、都市を優遇する政府の価格政策、商人の需要独占、そしてその他にも多くの、いくつもの力がもたらす結果なのである。しかしそれは同時に、重要な点で生計のための生産セクター内で生み出される力の結果でもあり、そのようなセクターは多くの場合、商品価格に対して相対的に中立的である。しかしながら、これから見るように、産業経済ではこれとまったく反対に思えるような事例が当てはまる。この産業経済においては、コモディティ化の継続的なプロセス――これは市場で入手可能な財が漸進的に安価になることで加速する――が、家内領域に対して、無給労働を賃金および商品という代替物に取り替えるように圧力を加える。いずれにせよ、生活水準の趨勢を理解したいと望むのであれば、自己供給と商品への依存との釣り合いにおけるこれらの揺れ動きを決定する要因の研究のほうが、市場価格それ自体に基づいた短期間の実証的評価よりも、広い視野を提供してくれる。さらには、非市場的な生産を評価するために目下の商品価格を単純に用いることが誤解を招くものである、もしくはより有害なものであることは、明らかなはずである。

サバンナの農村は、西アフリカの極めて不均衡な所得分布の中で最も貧困な地区であり、またこの地域の平均して一日一ドルという一人当たりGNPは、どんな会計操作によっても隠すことのできない貧困の水準を示している。こうした現象の核心にあるのは、西アフリカ農業の断片化と停滞した生産性である[18]。古典派経済学者たちは、商業的な分業の拡大が労働生産性における実質的な改善のための必要条件であり、そうした改善が今度は国富の増大を保証するものだと確信していた。近代経済学者たちは、この議論から市場の成長に対する関心だけを抜き取り、それによって第三世界の発展についての有効な理解を損ねてしまった。生活水準に対する徹底した古典派アプローチは、コミュニティの生産的な作業に要求される「社会的必要労働時間」に焦点を当てるかもしれない[19]。一つ例に取れば、水は人間の生活にとって必要不可欠なものであり、また、産業経済において定期的にもたらされ、また販売されるものである。では、西アフリカのサバンナで水を運ぶ作業には、どのようにして価格を付けることができるだろうか。水を運ぶ作業は、村落の女性の日課の中でもとくに骨の折れるものであり、乾期に濁った水たまりまでおよそ五マイル〔＝約八キロメートル〕を歩かなければならない。彼女たちに対して〔代わりに〕そうしてやることで対価を得て生計を立てられる者はいないだろう。その一方で、地方の都市では、労働者はしばしば運搬者に金を支払って浴室や料理、飲料のための水を運ばせる（そうしたいと思えば、そのような活動について一人当たり／一時間当たりで費用を見積もることもできる）。このような比較は、村落の生活水準を推計するのに適切だろうか。当然ながら、都市において水の価格が上がったとしても、女性たちの状況は何ら良くはならないだろう。人々が自分自身でものごとをなすとき、重要なのはその様々な作業のために必要な労働時間の削減である。各々の村落に年中使用できる給水塔があれば、農村の女性はたくさん歩かなければならない状況から解放されるだろう。それは確実に、彼女たちの生活水準に真の改善をもたらすだろうし、また、水を供給する社会的費用の〔増大ではなく〕削減を反映するものだろう。彼女たちは、余った時間を給水塔での雑談に使ったり、あるいは新しい綿花農場でのパートタイムの賃金労働に使ったりするかもしれない。労働時間の諸々の指標とは対照的に、生存のための活動の市場価値を計算することは、主として労働の専門化の水準および商品への需要を測定するものであり、〔私たちが関心を持っている問題に〕関連する生活水準それ自体を測定するものではない。

これまでのところ、コモディティ化の結果として、今では西アフリカ人は十中八九、以前よりも激しく働いており、また、より広範囲の財とサービスへのアクセスを有している。そうした発展の費用と便益〔のどちらが大きいか〕を判断することは難しい。不運にも、西アフリカ人の平均的な生活水準は、身体的な生存の問題が関連するほどに低い。一九六〇年代終わり以来のサヘルの飢饉は、エチオピアやバングラデシュの飢饉と同じように広く注目を集めてきた[20]。それゆえ、生産、分配、消費の様式を、物質的環境の危険要素に対処するにあたっての効率性という観点から評価することは適切である。この問題についての現代的論争の中心にあるのは、ぎりぎりの状態にある人々の安全を促進する（あるいは損なう）上で市場が果たす役割についての問いなのである。サバンナの農家と家畜飼育者は市場により多く巻き込まれることでより良い生活を送れる（より長く生きられる）と考えるのか、それともより少なく巻き込まれることでそうなると考えるのかによって、政策にはとてつもなく大きな差異がもたらされる。サヘルの飢饉についてのセンの分析は、コモディティ化の不都合な影響を第一に強調するものである。「商業化は新たな経済機会をもたらしたかもしれないが、サヘルの人々の脆弱さを増すことにもなった」（Sen 1981: 126–127, 邦訳二〇六頁）[21]。地域的に孤立した〔つまり市場を利用できない〕コミュニティにおける予測不可能な環境への依存状態と、市場の予測のつかない変動、そのどちらが脆弱さをもたらすより大きな源泉なのだろうか。これは、残忍な武力行使にさらされることと、核の脅威の下での生活することの、どちらがよりひどいかを尋ねるようなものである。しかし、アダム・スミスと彼の継承者にとってみれば、市場は分業を通じて分配を改善しかつ生産性を向上させ、それによって生活の安全を促進するのであった。いまや私たちはより多くのこと〔＝市場は生活を改善するばかりではないこと〕を知っている。しかしながら、西アフリカ人の事例の中に、修辞の上での対立を切り抜ける助けになるかもしれない、一つの困惑させられるエビデンスがある。

西アフリカ人の人口は、〔一九世紀から二〇世紀への〕世紀転換期以来、およそ四倍になった。四千万人未満であったものが今日では一億五千万人を超えるまでになったのである[22]。出生率は高水準にとどまってきた一方で、死亡率は急激に――過去二〇年だけで千人当たり三〇人から二〇人まで――降下した。出生時平均余命は、一九六〇年から五―九年改善したが、それでもなお産業化した国々の標準よりも二五年低い。また、サバンナにおける四二年という出生時平均余命は、西アフリカの沿岸諸国よりも五年低く、また、第三世界全体の平均よりも一二年低い[23]。人口統計学は福祉の改善の大雑把な指標ではあるが、強く訴えかけるものである。とりわけ、世界の他の多くの地域で実際に取り除かれてきた産業化以前の条件に依然として曝されている人々にとってはそうなのである。四〇歳の女性が一二番目の子どもを失って嘆き悲しむ姿を目にすれば、生活水準の他の規準が実行に移されるより先にまず、死へのこれほどの脆弱さを削減することに優先権が与えられるべきだと力強く訴えかけられるだろう。西洋のテレビ視聴者が目にする衝撃的な餓死の光景は、〔サバンナにおける〕平均余命をいまなお四〇歳代前半にとどめている日常的な状況であり、そしてこの状況は産業化時代の以前にはあらゆるところで――慢性的な経済の後進性と結びついた死の定期的な過剰供給があった際には――平均余命をそれよりもはるかに低くとどめたものである[24]。このような猛威が、植民地化より前にも、西アフリカの人口を同様の低い水準に抑えてきたに違いない。そして、現在のサバンナの生活がいかにひどいものに私たちに見えようとも、それはいくつかの重要な点でかつてよりも安全なものであるに違いない。なぜなら、サバンナの生活のマルサス主義的な足かせが破られたのは今世紀のこと、とりわけ第二次世界大戦以降のことだからである。この地域に現代の政治・経済の発展がもたらす矛盾がどんなものであれ、西アフリカのサバンナにおいて、そうした発展が大幅な死の減少と関連してきたことは注記されねばならない。人口の絶対数での増加も脅威ではない。なぜなら、相対的に土地があり余っていることと労働が稀少であることのために[25]、こうした人口の成長は、地域の経済的な見通しにとって肯定的な要因となっているからである。

二〇世紀に批判的な人々の中でも次のことを否定する者はわずかしかいないだろう。すなわち、他の場所と同じように西アフリカでも、植民地時代と植民地独立後の時代の両方において、二〇世紀には強権的な国家がグローバルな商業活動と結びついた形態が見られたことである。市場により大きく依存すること〔コモディティ化〕が、この地域の現代経済史の一主要側面であるならば、物質的厚生に及ぼす全体的な帰結は、結局のところ利益をもたらすものであったように思われるだろう。わずか数十年で人口規模が四倍になったことについて、他にどんな解釈をすることができるだろうか。予測のつかない降雨が商業化によって深刻化してきたと主張する〔ことで商業化の利益を否定する〕ことは、かなりひねくれたものであるように思われる。実際のところ、アダム・スミスにならって、市場、輸送機関、および近代国家が、西アフリカのサバンナにおいて生活の見込みを改善してきたと主張するほうが、それと反対のことを主張するよりも妥当である。とりわけ冷戦後の時代に、貿易の最大限の拡大と死亡率の最も劇的な減少の両方が見られたという事実は、こうした見方への支持を促すものである。これらの事柄について、長期にわたる歴史的大局観に代わるものはない。さもなければ、因果関係について選択的な判断を下す際に、私たちが自らの様々な先入観に溺れることを妨げるものはなくなってしまう。

産業化してゆく国々によって支配される世界市場に、西アフリカが最初に巻き込まれて以来一五〇年間、この地域は数度の不況に悩まされてきた。とくに、一九世紀終わり、一九三〇年代、最近一〇年の大半がそうである。[26] 世界市場の景気循環は、最初はサバンナの家畜飼育者や農家を驚かせただろうが、二度目、さらに三度目には、そうではなかっただろう。市場の揺れ動きがもたらす過酷さは、じかに不況を経験したことのまったくない最近の西洋の専門家集団よりも、こうした生産者たちにとってこそよく知られたものである。実際、西アフリカ人は商業的に好況であった時代に、その家畜と穀物の蓄えをその時の相対的に高い価格で販売せずに保持していたために、非合理的な保守性のかどで非難されてきた。[27]〔これに対して〕私の主張は、景気循環に繰り返し曝されることで、商品への依存と自己供給への依存との調整に関する埋め込まれた柔軟性、つまり、短期的な市場価格の動きよりも変動が小さいとみなされるような適応的反応が引き起こされるのだ、というものである。このことは、生活水準を維持ないし改善しようとするいかなる試みにとっても決定的なものである。たとえば、輸出用作物や賃金への関心が大きくなっているとしても、諸々の財や労働の市場が崩壊しているときには、生存のための農業に依拠した〔市場向けの活動の〕縮小が妨げられることはないだろう〔＝市場の変動に応じるよりも自己供給によって生活を維持するだろう〕。西アフリカ人が販売するものへの需要に大規模な変動があることは、今世紀を通してずっと、彼らにとって通常のことであった。〔一九二九年からの〕世界大恐慌は、早まって伝統的農業と手を切った人々にとって決定的な教訓となったのである。同様の教訓を現在の経済危機においても学んでいると見て間違いない。西アフリカ人に特徴的な反応は、生活手段の選択肢を柔軟に組み合わせたものを維持する、というものであった。第二次世界大戦後の大規模な都市化は、農村地帯と都市との間で労働者が循環するというパターンに依拠してきたが、このパターンは、出稼ぎ労働者に対して、市場に依存することに対する防衛策を農村共同体のメンバーシップから引き出すのを認めるものであった(28)。というのも、土地は依然としてかなり有り余っており、またその所有権は大部分を伝統的集団が保持してきたからである。土着の経済的戦略が市場価格という短期的な考慮事項によって方向付けられる日は、まだ遠い先のことである(29)。

こうした分析から引き出される一つの結論は、西アフリカの生活水準における商品の価値と自己供給の価値とを比較考量する試みは、いかなるものであれ困難に満ちたものに違いないということである——たとえ二つが通約不可能であるとは結論付けられないとしても。センによる「機能とケイパビリティ」アプローチの議論が示すのは、貧困の動向を測定するにはたくさんの代替的尺度があるということである。社会学者はつねに貧困者が無力な状態にあることを強調してきたが、その無力さとはおそらく、センのケイパビリティ概念にとっての負の逆数である。苦役からの自由、死のリスクに曝されることが少なくなること、諸個人に開かれた活動の選択肢の幅が拡大されること——これらはすべて、突き詰めれば物質的消費という商品ベースの指標よりも生活水準にとってよりいっそう決定的なものだろう。しかしながら、これらは測定が取り立てて易しいわけではない。ひょっとすると労働生産性に焦点化すること（一種の大規模なテイラー主義）は、商品の有用性とケイパビリティの適切性との間で妥協点を提供するかもしれない。こう述べるのにはいくつかの理由があるのだが、主として、労働時間が測定の普遍的基準を提供するからであり、また、労働効率性の不均衡な発展が富裕国と貧困国との所得格差の主要な源泉だからである。西アフリカの場合、サバンナの農家は自らの食料供給を確保するために、平均して年に約一〇〇〇時間を費やしていると算定できるが、他方で、インドシナ半島の水田農家が三〇〇〇時間の作業によって享受するのは、それよりも変化と栄養価に乏しい食事である[30]。だがうわべだけの観察では、東南アジアのほうがよりいっそう効率的な経済であると判断され、これに対して西アフリカはいつものように、何かしらの根拠に基づいて、まったく無力なものとして描かれる。比較判断を下すための私たちの理論的基礎を根本的に再評価することを促すような、この種の反直観的な事実がもっと必要なのである。食料、衣類、照明、住居、保育、医薬品などのベーシック・ニーズをもたらすために、どれだけの労働を要するのだろうか。長期的に見て重要なことは、ベーシック・ニーズが満たされているかどうかではなく、それらが満たされたときに、（さらなる労働の専門化を含む）自由裁量の活動の時間がどれだけ残されているかである[31]。そうした時間配分の測定尺度は、問題となっている特定の人々にとっての優先順位に応じて変化するものでなければならないだろう。加えて、村落の日々の生活はテイラー主義の作業現場よりももっと散漫な原理によって組織されていることもまた、覚えておくべきである[32]。

こうした西アフリカの生活水準についての議論において私は、少なくとも初手としては、商品、労働、時間、そして死を重要視するパッケージを拠り所にしてきた。これはもちろん、『国富論』や『資本論』、そしてまた〔トマス・ロバート・〕マルサスの『人口論』において述べられてきた、古典派経済学の視点である。この古い経済理論の主要な美徳は、短期における価値の限界的な増分ではなく〔これは新古典派の注目点である〕、生産面での成果に関する、総体としての長期の矛盾に取り組んだことである。西アフリカのサバンナは二〇世紀の商業からいくらかの利益を得てきたが、産業社会への転換という目標に向かう進歩は、この地域においては不十分なものであった(33)。繁栄のためのリスク回避に古い形態と新たな形態の両方を奨励する国際経済への一種の依存から、この地域は抜け出せないままである。結果的に、商品生産と自己供給は、柔軟かつ密接な共生関係にありつつ持続しており、また、労働のよりいっそうの専門化と効率性の増大へ向かう進歩は抑制されている。とりわけ必要とされているのは農業の革命であり、それによってこの地域の経済は、ますます大きくなる産業国クラブへの入会資格をチェックする見えない壁の向こう側へと進んでいくことができるのだ。それなくしては、西アフリカの商業化は停滞した生産に縛りつけられたままとなるだろう。市場は、歴史的に知られる社会編成のほとんどに存在してきた。言い換えれば、生産の動向を決めるのは支配的な社会構造が持つ特徴であって、市場の存在それ自体ではないのである。西アフリカのサバンナの社会は、現代の〔近代化された〕商業をその社会機能の中に首尾よく組み込んできた。結果として、生産の発展の見通しは小さいものの、生産と分配の組織の大部分に対する支配を人々が保持している。コモディティ化は今や、あらゆるところで家庭内の生活にとって本質的なものとなっているが、市場は本質的に保守的である社会組織の、その影響力に従属している。死亡率は下降したが、この地域は依然としてとてつもなく貧しい。サバンナ経済は、世界貿易の景気循環に対して慢性的に脆弱な状態であるが、にもかかわらずサバンナの農村の財産権制度が持つ自由と平等に並び立つものは、同程度の規模をもついかなる領域にも見られない。こうした矛盾に直面して、生活水準という問題は手に負えない様相を呈している。おそらくコモディティ化が生活水準にもたらす影響は、イギリスのような産業社会ではよりいっそうはっきりとしたものとなるだろう。しかし、ここイギリスでさえも、商品生産と自己供給とのバランスが抱える複雑さのために、私たちは間違いなく同様の分析上の諸問題に出くわすことになるのである。

3　産業化したイギリスにおけるコモディティ化

商品の生産と非商品の生産による弁証法は、イギリスのような経済において、産業化の連綿と続く特徴となっている。しかしながら経済分析の形態の大部分は、この中心的な〔商品の生産と非商品の生産という〕二元論を無視したモデルを構築している。その結果、素朴なアイデアが実証的経済学として具体化されてしまっているのである。こうした表層的な思考習慣は、マスメディアが為替レートや失業者数、株価指数に執着することで、一般のイメージの中で強固にされている。このような過度な単純化は、生活水準の理解にとってとりわけ妨げとなるものである。そこで私はさらに踏み込みたい。すなわち、経済開発を捉えるいかなるモデルも、部分的には他の諸原理に従って構成されたままにとどまっている世界へと商品経済が展開することに対して明確に取り組むことに失敗するのであれば、適切なものとはならない、と[34]。私たちは、経済科学というう分析上のアイデンティティや、「資本主義」や「社会主義」のような全体性を表す言葉に魅了されてきた。日常の経済経験が、商品、家庭内供給、そして公的機関の変化に満ちた組み合わせから成ることは、簡単に忘れられてしまう。第一次世界大戦以降の西洋経済における公的機関の台頭は本論文の領分ではないが、家庭内の生活におけるコモディティ化は本論文の任とするところである。

一九世紀ランカシャーにおける織物製造者たちは、とりわけマルクスと〔フリードリヒ・〕エンゲルスが提示した証言のゆえに、産業労働者階級に対する私たちのイメージに強い影響を及ぼしてきた[2]。以下の手短な素描では、ロッセンデール渓谷という、ランカスター北東の市街地について私が有する知見を利用する。[35] 約一五〇年の間、石炭を燃料とする織物工場がロッセンデールの経済を支配した時期がある（大まかに言って、ナポレオン戦争の終わりから現代まで）。それ以前には、牧畜、輸送、水力による製造業、地域市場がかなり多様に混ざり合っていた。今日、脱産業化の時代にあってロッセンデールの経済は、産業化以前の様式に類似したものに戻りつつある。産業革命の絶頂にあってさえ、ロッセンデールの経済は、近隣地域の経済よりかなり多い、複数の製造拠点を有していた。とりわけ、原理から演繹できるように、この区域の産業プロレタリアートは賃金への完全な依存状態に落ちぶれることはなく、むしろ経済の自然発生的な部門に対する支配を保持し、工場雇用における〔賃金の〕低下傾向が及ぼす不利な影響を制限するのに大きな役割を果たしたように思われる。労働の家庭内分業はつねに特異的で、時には女性の賃金労働者が二対一で男性を上回った。また、五世代にわたって大きな移住・移民を経験してこなかったコミュニティでは、近隣間でのインフォーマルな協同組合が非常に強い。これ以上に、ロッセンデール経済には小規模の露天採鉱と採石業、家畜（主に羊だが飼鳥類も）、輸送と配膳業、市場取引、工場システムから吸い上げられた物品の違法リサイクルが、相当額含まれている。谷間の煤汚れた街を見下ろす西ペナインの丘陵地帯を含む、すみずみまで広がった自然の影響は、人々が犬を（競争や狩猟のために）飼うという文化の中に反映されているが、それはこの地域が王室所有の森林であった前時代を呼び起こすものである。産業資本主義のこの形態は、非常に排他主義的なものであった。家父長的な工場主は、地域社会の一体感を綿密に強固なものにした。ここには二大階級――ブルジョアジーと、物質的・社会的・文化的資源を欠いたプロレタリアート――の抽象的な対立は見出しがたいであろう。

全体的な要点は、労働者家族の消費が決して賃金の価値に還元できないという点にある。一つの極端な例を、一八六一年から一八六四年のランカシャー綿花飢饉が提供してくれる。これはアメリカ南北戦争がその地域で利用される乾燥した原材料の供給を急激に減らしたときに起こった。[36] 多くの工場は稼働を停止させられ、とくにロッセンデールよりも専門化した街では、その後の失業による窮乏は壊滅的な割合に達した。けれどもその被害は、労働者階級が当てにできる経済的資源を何も持たなかった場合に想定されるよりも、小さいものであった。この危機の間、ランカシャーの労働者が〔南北戦争の〕北軍と〔奴隷〕解放のために粘り強く政治的陳情を行い、一方で工場主は、南軍が港の封鎖を破るのを援助するよう英国議会にロビー活動をしたという事実は、精神の独立を物語っており、そしてそれは支配的経済による封じ込めの外側の物質的基盤に疑いなく支えられていたにまず間違いないのである。今日に至るまで、イギリスのインフォーマル経済の諸事例は、増大してきたかもしれない(37)。とはいえ、単純な要点を繰り返すことは冗長だろう。産業資本主義下の生活水準は、部分的にしか賃金の関数となっていないのである。労働者階級は、しばしば不十分なものにとどまる賃金報酬の水準に対して反応するだけでなく、賃金雇用の不規則な揺れ動きを緩和する中で、自分たちの経済資源を築き上げてきた。彼らはまた、政治運動に資金を援助し、生活保障のために必要な負担を公的な規模での供給のほうに動かした〔つまり後者に依存できるようにした〕のであり、おそらくはそのことが、産業福祉国家の存在と不在を、西洋と西アフリカのサバンナのような地域との間にある生活条件の最も大きな相違点にしている。これが意味するのは、西アフリカについて論じた節で私たちがまず直面した分析や測定をめぐる諸問題が、産業資本主義の中心部において再浮上してくるということである。部分的にコモディティ化された生産と消費の構造が持つ価値は、いかにして概念化されうる、それどころか数量化されうるのだろうか。

西洋におけるコモディティ化は、一九世紀に工場が爆発的に増加したことで終わったわけではない。技術的進歩のさらなる波（そして付随して起こる労働力の余剰）が、賃金雇用と家内領域とのバランスを、つねに同じ方向にではないが、変えてきたのである。第一次世界大戦に至るまでの数十年間に起きた第二次産業革命は、賃金労働から女性を締め出す運動を引き起こした。(38) この時、組合労働者の諸政党（ヨーロッパ最大である、ドイツ社会民主党を含む）は、中流階級の家族のみがフルタイムの家庭扶養者の特権〔＝家事使用人の利用のような特権〕を享受すべきではないと考え、女性が家庭内に閉じこもることを正当なものとして奨励した。（鉄鋼、造船、化学などの）新しい、高度に資本主義化した産業は男性の労働組合によって支配されており、彼らは労働生産性に関係する高賃金を、自分たちの家族をそれまでとは違ったやり方で扶養するためのチャンスとして捉えていた。（今なおそうであるように、）ジェンダーはつねに労働市場における階層化の源泉であったが、女性／男性間の直接的な競合を減少させることを狙ったこれらの展開は、とりわけ極端な型の分業を制度化し、また男女両方の側に、新伝統主義的な相互補完性を正当化するような手段を与えた。このような仕方で、一家の稼ぎ手と主婦の間の区別は一八八〇年代以降、西洋の労働者階級を通じて普及していった。

こうした役割の固定観念は、イギリスにおいては少なくとも一九五〇年代まで、疑問に付されることのない性別役割分業のかたちであった。ちょうど裕福な小作農が自分たちのささやかな豊かさを示すステータスシンボルとして、何世紀にもわたり妻を畑の外へと引っ張り出したように、下位中流階級と上位労働者階級の男性は、妻が働いていることが公然と知られるべきだとは考えられないと主張した。中流階級そのものは、より高給の賃金雇用に及ぶ家事使用人を失っており、それゆえこのモデルはよりいっそう一般的なものと思われるようになった。社会の最上位と最底辺の階級のみがこの趨勢から除外された。この趨勢は結局のところ、賃金部門におけるより高い生産性はより大きな余暇として――より少ない〔労働〕時間でより多くの報酬というかたちをとって、そしてまた、主婦にとっては産業のお決まりの仕事から自由になることとして――実現されるべきだという考えに基づいていた。最近の二〇年あるいはそれ以上にわたって、この新たな社会秩序は、今はまだ実際に解体されたとは言えなくとも、公的空間でのイデオロギー対立の中で急速に解体されてきた[39]。この点についてのフェミニズム運動の主な傾向は、女性が賃金労働に再び参入することを奨励し、また、階層化された労働市場の諸々の不平等を痛烈に批判する〔同一賃金〔を要求する〕〕というものであった。このことが意味するのは、主婦の役割を低く見積もり、賃金雇用者として搾取される機会が与えられるのをせがむことであるが、これは私たちの祖母世代であればあえて男たちだけがしていたようなやり口であった。一つの副次的戦略として、家事に対する賃金支払いへの要求はなされてきた[40]。この現象のうち、商品を生産しないことへの見返りとして賃金を要求している点はさして興味深いものではない。ここに反映されているのは、社会生活における商品生産の優位性と、そうした賃金は公的財源からの控除となるという想定の両方である。産業部門での雇用がよりいっそう減少するにつれて、賃金による報酬〔立派な市民〕と国家の補助金による報酬〔役立たずの市民〕との制度的な対照性にのしかかるイデオロギー的圧力が、ますます大きくなっていくことは疑いない。むしろ、この文脈で強調されるべき要点は、「家事労働に賃金を」〔というスローガン〕が家内労働の金銭的価値を推計するという問題に注意を向けることにある。

主婦が日々行う日課を構成する多くの要素は、市場で専門家——運転手、教育者、看護師など[41]——から購入できる諸々の業務に分解することが可能であり、さらにそれらの費用を時価で見積もることができる。その結果は予測可能なものである。すなわち、主婦がしていることの商品ベースでの価値は、合衆国のある例では一年につき七万〜八万ドルと、桁外れに高い。仮に同じ活動が西アフリカのサバンナで遂行されたならば、この地域の経済的後進性は一夜にして消えてしまうだろう。けれども私たちが見たように、市場価格はそれ自体が商品生産と自己供給との相互作用によってもたらされる結果である。したがって、専門化された業務を買うことのできる人がほとんどいないとき、その価格は高くなるのであり、そして高額であるがゆえにたいていの人々は、できることは独力でしなければならない。だが、生産費の低下と市場の拡大とによって、実質ベースで商品価格が下落するときには、より多くの人々がかつては富裕層のためのぜいたくとみなしたものを買うことができる。たいていの人々にとって、外食がめったにないイベントであったのは、遠い昔のことではない。今やファストフードは比較的安価であるから、台所で毎日を過ごす主婦は少なくなった。このことが今度は、賃金のために仕事をすることの実行可能性を高め、そしてより多く賃金を得られるということは、家族がより頻繁に外食できることを意味する。もちろん、女性が家庭の外で実際に仕事をするとき、彼女たちの賃金は家事の理論上の価値よりもはるかに低い。それは一つには、女性の報酬が、無償労働の相当規模の予備軍（＝他にも同じ仕事を求めている多数の人々）と、多元的な家計所得の想定（＝生活を支える他の稼ぎ手（夫）がいるのだから女性の賃金は低くても生活していけるという想定）とを反映するからである。さらに、性別役割分業という〔男性と女性の間で〕相互に連動した日課は、容易には解体できない。その結果、家庭内の務めの多くは賃金の発生する仕事の外部で、より少ない時間で依然としてなされねばならず、また中には、就学前の育児のように、多くの女性にとって妥協することのできないボトルネックを象徴するものもある。

　にもかかわらず、産業社会において家庭内の仕事がコモディティ化へと向かうことは、堅固な趨勢となっている。労働コストがより高くなることで、古い種類の家事使用人[3]がイギリス経済から事実上いなくなったことには既に言及した。賃金労働市場へ女性が再び参入することは、労働がより高い実質賃金を要求し、また商品の費用がより安価になる、こうした長期的趨勢の文脈において理解されるべきものである。これらはともに、産業国の豊かな生活水準を下支えする、社会的生産性のグローバルな上昇が持つ特徴である。労働の効率性の改善は、賃金労働者の所得水準を向上させ、また、無償労働を商品で置き換えるのにかかる費用を安価にする。賃金労働への需要の総水準は、こうした状況下では実際には下降するだろうが、家庭にとどまるという選択の機会費用は概して上昇する。このことが意味するのは、自分の子どもを世話すること、また自分で料理をすることを選好する女性は今や、こうした活動に道徳的に高められた価値を見出さねばならないということである。慣例的な〔性別〕役割分業に言及するだけでは、もはやそのような生活を正当化するのに十分ではない。第二次世界大戦以来の、産業発展の第三の波の出現は、かつてない豊かさと生産性によって特徴付けられており、家庭の内や外で働くことに対する西洋のほとんどの人々——男性も女性も——の考え方を変えてしまった。以上が、今の時代では女性が家庭内へと閉じこもることの評判が悪くなってしまった理由を説明する、商品経済の発展である。こうした考慮事項が富裕層や貧困層に当てはまったことは一度もない。しかし、イギリス社会の大規模で適応性に富んだ中間階層は、商品の世界から家族を隔離する障壁を侵食する、こうした劇的な変化に深く巻き込まれたのである。

コモディティ化のこうしたつい最近の実例の真相については、合意に達することすら困難である。それどころか、コモディティ化の影響を評価することは、どちらかといえば、第三世界の貧困層が抱える深刻な状況についての説明よりも、さらにいっそう二極化したものとなる。イギリスの子どもたちは、ファストフード店に行けば行くほど自分たちの生活はより良いものになると考えているようである。多くの中流階級の親たちは、そうした粗野な振る舞いに忌み嫌うべきものを見出している。資本主義と社会主義との死闘は、ひょっとするとハンバーガーに典型的に表れているのかもしれない。しかしながら〔そのようなイデオロギー論争はともかく〕、労働者階級の多数派にとっては、彼らの「機能とケイパビリティ」により大きな柔軟性がもたらされる点で、一部の家庭内の活動を商品に取り替えることは生活水準を向上させる。おそらく家事の価値は、その市場における等価物でもって通約可能なものではない。だが私たちは、それら二つの領域が互いに直接的に影響し合っていること、また、これまでの産業化の歴史において、商品経済の進展によって家族生活についての根本的に異なる考え方が促進されてきたことを理解している。生活水準を科学的に測定するための探究の水準を下げる前に、西洋文化のこうした大きな揺れ動きによって私たちの先入観がいかにして形作られたかを、理解しておいたほうがよいだろう。

4　結　論

1. コモディティ化は、現代ではイギリスと西アフリカのサバンナ両方が持つ特徴である。大きな違いは、一方の事例（＝イギリス）ではそれが産業化によって成し遂げられたが、もう一方の事例（＝西アフリカのサバンナ）ではそうではないことにある。その結果、支配的な経済構造の特徴は相違しており、市場が社会生活において対照的な役割を演じている。この二つの地域の平均的な労働者たちの慣習的反応は、非常に似通ったものであり、長期的な生活保障の基盤として、いずれの社会においても家庭内の自己供給が突出した地位を占めている。甚だしい不一致がどこにあるかといえば、それは西アフリカとイギリスの生活水準である。その理由は、これまでのところ前者が、より高い実質賃金を引き起こすような労働効率性の上昇を生み出す軌道に乗り損ねているからである。

2. コモディティ化のプロセスはどこにおいても不規則なものであり、商品生産と自己供給との間で重点に顕著な変化があるのがごく一般的なことである。世界市場と分業は、とりわけ一九四五年以来、相当の発展を遂げてきたが、景気の下降傾向はこの経験にとって本質的である。既に西アフリカのサバンナと一九世紀ランカシャーの事例で見てきたように、このことが、産業社会と産業化以前の社会に対して、時には同程度に、深刻な影響を及ぼす。人口集団の、非商品の生産という資源を引き出す能力が最も決定的なものとなるのは、不況時である。

3．したがって、たいていの人々にとって、自らの生計を立てるためには市場と同じくらい自己供給の構造が重要なものとなる。既に論じたように、二つの間の絶えず変化する関係性の観点からすれば、現行の市場価格を頼りにすることによって生活水準に対する非商品領域の貢献度を評価することは、循環的であり誤解を招くものである。産業化以前の条件の下では、家庭内および共同体内の組織において生じる諸々の力が市場の機能を形作ることは、かなりありそうなことであるが、一方でその反対のことが、産業化に突き動かされる経済にとってはよりいっそう真実味があるかもしれない(42)。

4．学問的探究の対象としての「生活水準」の資格は、それ自体で問題含みなものである。最も抽象的な形態においては、その論争は、産業資本主義が――あるいは私がそのプロセスにラベルを貼り直したところのコモディティ化が――厚生（welfare）についてもたらす効果をめぐるものとなる。第三世界の貧困に立ち向かう社会科学者たちが、それらの社会は西洋経済の公式（資本、都市、市場、科学、その他諸々の「ブルジョア的パッケージ」）以上のものを必要とすると考えるのか、そうでないと考えるのかで分裂するのは明白である。私たちの議論が、自分たちが抱く生かじりの偏見のための世俗神学やプロパガンダ以上のものとなるとするならば、それは具体的な歴史的探究に根を下ろしていなければならない。哲学者による仮想上の事例は役に立たないし、経済学者の描く無差別曲線も同様である。

5．生活水準に対して商品が果たす中心的な役割をおおいに強調する点で、私のアプローチはセンのアプローチがそうであると思われる以上に、主流派の経済分析にいっそう共感的である。センと同様、私は限界主義者たちの功利主義的アプローチを拒否するが、古典派経済学の商品ベースの諸理論からはむしろインスピレーションを得ている。とりわけ、労働生産性の根底にある諸々の趨勢は、生活水準の改善にとっての鍵であると考えている。加えて、こうした趨勢は歴史的に、商業的分業の進展に依存してきた（一方で決して市場の拡大それ自体によって確実なものとされてきたのではない）。時間配分の効率性の測定は、この領域における客観的な数量化にいくぶんか希望をもたらすものである。

6．一人当たりGNPのような生活水準に対する正統派経済学のアプローチは、コモディティ化した産業経済が成長しているときには、そこにおける厚生の趨勢といくらか関連することが考えられる。〔これに対して〕コモディティ化の程度が弱い社会や不況を経験しているあらゆる経済では、そのようなアプローチは平均的な生活の条件とそれほど関連性をもたない。だが生活水準がいっそう問題となるのは、まさしくこうした後者の状況下なのである。変動する制度的条件を分析する上で、商品ベースのアプローチあるいは効用ベースのアプローチが適切なのかどうかという問いに、経済学者が取り組むことは滅多にない(43)。それゆえに、こうした問題の比較人類学的な分析こそが、最終的にはより鋭い洞察を提供するだろう。

原注

(1) 私はこの〔商品と自己供給という〕二元論のアプローチが第三のカテゴリー——すなわち、商品交換以外の手段による財とサービスの公共的供給——を無視するものであることを自覚している。だが差し当たり、この問題によって自分の議論を複雑にしないことにしておく。

(2) ケインズは、「たしかに明断さと整合性を保ち、平易な論理によりながらも、事実に合わない仮説によって得られた誤謬を主張するよりも、〔……〕自分の直観に従って、不明瞭、不完全ながら真理を見出す方を選んだ」(Keynes 1936: 371、邦訳三七四頁)人々について語っている。

(3) 〔マックス・〕ウェーバーは、近代経済の興隆において計算が果たした役割を重視している(Weber 1978: 63-211; 1981)。

(4) Marx (1887: Vol. 1, Ch. 1) を見よ。

(5) 現代の語法では、「富(opulence)」が示唆するのは豊かさであり、太っていることですらある。金持ちも貧乏も等しく包含することを意図した、商品ベースの財産(wealth)の尺度としては、いくぶん含みの多すぎる用語である(「過剰」である)ように思われる。

(6) 厳密に言えば、サヘルとはサハラ砂漠の「岸辺」であり、牧畜(pastoralism)は可能であるが、農業(agriculture)は不可能な地帯である。通例としては、広範囲にわたる飢饉の結果として一九七〇年代に知られるようになった、主にフランス語圏の国々の一群を指しており、また、その境界線はサバンナの乾地農業国にまで及んでいる。本論文の見解の多くは、私自身が北東ガーナで行ったフィールド調査に基づくものである。センは、サヘル飢饉について興味深い報告を書いている（Sen 1981: 113-129、邦訳一八七—二一六頁）。

（7）サバンナの農業と牧畜についての簡潔な説明として、Hart（1982a: 65-67）を見よ。

（8）Copans（1975）、Comité d'Information Sahel（1975）、Dalby and Church（1973）、Sen（1981: Ch. 8）。

（9）それゆえ、〔カール・〕ポランニーとその追随者たち（たとえば、Bohannan and Dalton 1962）といった「実質主義（substantivist）」学派は次のことを強く主張している。要素市場、とりわけ土地と労働〔の市場〕を欠いた社会は、市場の論理とは相容れない経済原理によって支配される、と。[4]

（10）この文章のほとんどは、東アフリカの民衆経済に焦点を当てたHart and Sperling（1983）から引いている。

（11）Cleave（1974: 34）。〔マーシャル・〕サーリンズによる「原始の豊かさ」についての名高い説明（Sahlins 1972）は、村落の農業における家庭内組織の支配が、短時間労働の傾向など、過小生産へと向かう文化的圧力を確立することを示している。私の要点はむしろ、専門化された作業への投入と生産高の計算に対して、広範な時間の調整がもたらす影響に関連している。

（12）洗練された形で測定を行うためには、連続変数が社会組織に組み込まれている必要がある。私たちの社会において時間、金銭、エネルギーの三つはそのような、即座に数量化できる変数なのである。もしも第二次世界大戦以来、航空輸送がコンピュータと同じだけ技術的に進歩したならば、私たちは今や二時間で、五〇ドルで、五ガロンの燃料で世界中を旅行することができただろうと言われてきた。ここでは時間、金銭、エネルギーが、明白な制度的関連性を有する別個の数量として現れている。しかし、こうした考えをいかにして西アフリカの家畜飼育者の言い回しに翻訳することができるのか想像してみてほしい。彼らは動物の寿命を（仮に測定するとしても）年単位で測定し、動物に牧草を食べさせるのに一銭も払わず、そしてエネルギー変換の比率を計算する方法をまったく持たない（そうした可能性に何ら興味関心を抱かない）。

（13）Thomson（1968）、Marx（1887: Vol. 1, Ch. 15）。

（14）初期産業社会にとって「厳格な組織化」が重要であったことは、〔ミシェル・〕フーコーによって探究されている（Foucault 1977）。

（15）この段落と次の段落の主張は、Hart（1982a: 126-135）でさらに詳説されている。

（16）この問題についてのとりわけ鋭い論評は、Frankel（1953）に見出せる。

（17）アフリカその他の半乾燥気候地帯における農業従事者と牧畜従事者との共益関係については、Khazanov（1984）、Gallais（1972）、そしてSen（1981: 113-129、邦訳一八七—二一六頁）が巧みに説明している。

（18）Hart（1982a: Ch. 1, 2, 7）を見よ。

（19）この表現はマルクスによるものだが（Marx 1887: Ch. 1）、そこに込められた意味は経済学における彼のイングランド・スコットランド系祖先〔＝アダム・スミスやデヴィッド・リカードら〕によって共有されたものである。Dobb（1973）を見よ。個々人が所与の作業を遂行するために経験的に要する時間は、普及している水準での科学技術および技能の標準的な組み合わせ（すなわち「社会的必要労働時間」）とは異なる。後者は、商品の価格変動とまでは言わないまでも、その交換価値を単独で決定する。

(20) 前記注8を見よ。初期の文献の整理についてはSwift（1977）も見よ。

(21) この中でセンは疑いなく、Comité d'Information Sahel（1975）のような、フランスのマルクス主義者による〔サヘル〕飢饉についての論説から影響を受けている。しかし、市場に巻き込まれることが生活物資不足のリスクを拡大するという考えは、彼の著作で扱われている〔サヘル以外の〕他の事例の分析においても本質的なものとなっている。

(22) これらの数値は通常のものよりも疑問の余地が大きい。一九〇〇年頃の取材範囲の不完全さ、および現代におけるナイジェリアの人口調査結果の度を越えた改ざんがその理由である。近年の出生率と死亡率の数値はこれよりも信頼できるものであるが、それによれば今日では〔西アフリカの〕ほとんどの国において人口は年間に少なくとも三%の純増加を示している、言い換えれば、四半世紀前の脱植民地化から総人口が倍増している。

(23) これらの数字はWorld Bank（1983）から採った。

(24) McNeill（1976）、Cipolla（1978）、McKeown（1976）。

(25) たとえば、ジャック・グッディは、アフリカ大陸とユーラシア大陸との間にあるこの対照性を重要視している（Goody 1971）。

(26) Hart（1982a: 84-85, 124, 134）。

(27) とりわけ家畜飼育者たちは、アフリカ全土で、「畜牛コンプレックス」として軽蔑的に言及されてきたものを理由に、中傷を受けてきた。それは合理的な保険メカニズムなのだが、部族の成員がその動物に対して不自然に持つ愛着としてみなされてきたのだ。〔この点については〕Khazanov（1984）が文献の要約を行っている。

(28) Gugler and Flanagan（1978）、Hart（1982a: 121-125）。

(29) 近隣の森林地帯において、西アフリカのココア生産者は、生産高の水準を実質的に上昇させることで、一九四五年以後に販売委員会によって導入された安定した価格を選好していることを、実例でもって示した。Bauer（1954）とHill（1963）を見よ。

(30) Cleave（1974: 34）。

(31) 前述の水運びについての議論〔本訳書一三四―一三五頁〕を見よ。

(32) 人類学者たちは近年、時間配分の研究に多大な関心を示している。これには、産業化が家内労働を包含したときに生産の時間費用を減少させるかどうかという問いが含まれている。問題の概観として、Minge-Klevana（1980）を見よ。

(33) こうした判定の背景は、Hart（1982a）に見ることができる。

(34) Hart（1982b）を見よ。この問題を認識した点に、ポランニー派——たとえば、Polanyi（1944）やBohannan and Dalton（1962）——の大きな強みがある。マルクス主義の伝統内では、〔ローザ・〕ルクセンブルクが資本主義的生産様式の分析モデルの自己充足性を否定したことで（Luxemburg 1951）、厳しく批判された[5]。

(35) 私は、これまでのところ公刊した成果はないものの、ロッセンデールの経済史とエスノグラフィーについて、しばらく前から断続的に研究してきた。Tupling（1972）は、その地の産業革命についての基本テキストである。〔E・P・〕トムスンによる、世界で初めて現れた産業プロレタリアートについての古典的研究（Thompson 1968）においても、ランカシャーは重要な位置を占めている。マンチェスターはエンゲルスの本拠地であった（Engels 1969）。〔ジョン・〕フォスターによる興味深い事例研究（Foster 1974）の一部は、ランカシャーの町、オールダムについて割かれている。

(36) ランカシャーの綿花飢饉の古典的研究には、Henderson（1969）がある。

(37) 私は西アフリカの文脈でインフォーマル経済について書いたことがある（Hart 1973）。現代イギリスの社会学者は、経済生活の多くにみられる「隠れた」、「闇の」、「非合法な」、そして「インフォーマルな」特性に夢中であるように思われる。たとえば、Henry（1978）を見よ。

(38) Tilly and Scott（1978）。

(39) 〔イギリスでの〕こうした展開と、前節で議論した西アフリカの植民地独立後の国家の時代とが、共時性を持つことに留意されたい。

(40) ロンドンの活動家の一団は現在、「家事労働に賃金を」というスローガンのもとでキャンペーンを行っている。この話題については一般向けの文献がたくさんある。家事労働の論じ方全般については、Oakley（1974）を見よ。

(41) イギリスのとあるテレビ広告では、主婦や母親が家事のそれぞれにふさわしい服装をして、専門的役割を次から次へとこなす様子が素早い画面の切り替えによって映し出される。彼女たちはそこで、心理療法士、料理人、道化師、救急看護師、さらには（なくしたものを回収するためには）潜水夫の服装にさえなるのである。

(42) こうした公式は、ポランニーの追随者たちが実質主義の（substantivist）経済人類学において採用した立場に接近しているように思われる。前記注9と注34を見よ。この公式がポランニーの追随者たちと異なるのは、産業経済と産業化以前の経済をもっぱら一方の（ないし他方の）種類の組織によって特徴付けるよりはむしろ、市場と生存のための組織との間には普遍的な関係性があると想定する点である。

(43) 現代における最も重要な例外は、アメリカ制度学派の経済学者たちである。〔ジョン・ケネス・〕ガルブレイスの著作（たとえば、Galbraith 1974）は、広い意味でこの伝統の内にある。

訳注

[1] 本章では commodity を「商品」と訳し、commoditisation は「コモディティ化」と訳す。ハートは商品を「その生産者によって直接的に消費されるのではなく、社会に提供される財ないしサービスの形で具現化された人間の労働」としたうえで、コモディティ化は「社会的労働の漸進的な抽象化とし

て定義されうる。すなわちそれは、諸々の活動を通じて社会的統一体を構成する具体的な人々から、一般化可能な性質と固有の属性が分離されるプロセスである」(Hart 1982b: 40) と述べている。要するにここで言う商品とは、たとえばチェーン店で出される食事のように、「誰が」それを調理したかはもはや問題にならない労働によって生み出されたものであり（一般化された性質）、人間の営み（この場合の「食事」）がそのような形で提供され、またその価値が抽象化され数量化されていくことを、ハートはコモディティ化と呼んでいる。

[2] ここではマルクスの『資本論』（とりわけ第一三章）およびエンゲルスの『イギリスにおける労働者階級の状態』が念頭におかれているものと思われる。なお、産業革命とともに綿織物工業の中心地として発展し、エンゲルスの所有する工場もあったマンチェスターは、現在と異なり当時はランカシャー州に属しており、一九世紀ランカシャーといった場合にはマンチェスターを含む点に注意が必要である。

[3] 原文は domestic service であるが、文脈をふまえて domestic servant の誤植であると判断し「家事使用人」と訳した。

[4] ここで「実質主義」学派とは、ポランニーが価格と数量の決定過程を分析する主流派経済学を形式的経済学（formal economy）として批判し、人間の生活・生存の実質を取り扱う分析として実質的経済学（substantive economy）を提唱したことに由来する表現であり、ポランニー学派にほぼ等しい。

[5] ローザ・ルクセンブルクは一九世紀末から二〇世紀初頭に活躍したマルクス主義の政治理論家・活動家。ここで言及されている『資本蓄積論』（一九一三年）において、資本主義経済はつねにその外部の非資本主義的な経済を包摂し続けることで維持されるものであり、それゆえ資本主義経済の崩壊はそのような外部が消滅することで生じるのだと主張し、マルクス主義内部において大きな議論を呼んだ。

生活水準——利益とケイパビリティ

バーナード・ウィリアムズ

アマルティア・センが述べてきたことの多くに、私は同意する。とりわけ彼が、厳密なやり方で間違っているよりは漠然と正しいほうがよいと述べることで要約した〔本訳書六二—六三頁〕、方法論的原理についいて同意する。私はまた、センの主要な実質的結論に惹きつけられてもいる。すなわち、こういった問題についてケイパビリティのような概念の観点から考えるべきだという結論である。ケイパビリティが何であるかについてはいくつかの問題があると私は考えている。問題のいくつかはセンの定式化に特有の問題である一方、いくつかは私たち皆にとっての問題である。

最初に言及したいのは、「生活水準（the standard of living）」という表現によって意味されることについての問題である。この問題にあまり長くを費やしたいわけではない。その一部は言葉の上での問題であるが、センがレクチャーで引き出していると考えられるように、少なくとも一つの実質的内容を備えた問題もまた、ここにはある。センが述べるように、「生活水準」は学術上の用語ではない。生活水準は〔学術的な用法に〕先行する用法がある表現であり、そして分析は、そうした先行する用法に対して敏感でなければならない。しかし私は、この領域で何が本当に重要であるかについての直観を検査するにあたり、この特定のフレーズの定着した用法に対しては、むしろ用心深くあらねばならないと考えている。なぜなら、この特定のフレーズは、センや他の私たちが中心的だとはおそらく考えない諸々の考慮事項に結びつけられているか、影響されているかもしれないからである。とりわけ、このフレーズは富

（opulence）という考慮事項に関連付けられるだろうし、また、そうであるべき歴史的・社会的理由があるだろう。その結果、このフレーズが一般的なものになってきた間に、福祉（well-being）がとりわけ富と結びつくものと考えられたのである。そのためこのフレーズは、より一般的で方法論的な理由からは取り除きたいと当然思うような何らかの荷物を、歴史的な理由からまさに抱えているのかもしれない。さらに、そうした仕方でこのフレーズがどれほど影響を受けているのかははっきりとしないだろう。そのため、これらのつながりを取り除くためのまったく異論のない計画を私たちは持ち合わせてさえいない。

これらの結びつきについて語っているであろう、三つの異なる事柄を区別することには価値があると私は考える。センはその第二のレクチャーで、〔A・C・〕ピグーが言うところの「経済的厚生（economic welfare）」と「総体的厚生（total welfare）」との区別に言及する。そして、総体的厚生というアイデアが利他主義的な欲求の満足を含みうる一方、経済的厚生は利他主義的な欲求の満足を含むものとしては受け取れないという、（センに従えば、ピグーもまた言及したと考えられる）事実に言及する。もう一つの区別があり、これは、センがその第二のレクチャーで「アショーカ王の区別」として言及するものに極めて密接に関係している。アショーカ王は、たとえ私自身の「生活には不足がない」〔本訳書五四頁〕としても、別の人が被る損害によって私は苦しむだろうという事実を記している。このこともまた、生活水準の概念と一般的な福祉の概念との区別にいくらか光を当てるものだと考えられる。

以上より、ここにはいくつかのフレーズが登場している。「総体的厚生」「経済的厚生」「生活水準」そして「福祉」である。これら四つのフレーズを用いて私たちが何をしようとしているのか〔＝概念的な対象〕についていくらかの明晰さを得さえすれば——センがしようとしているのはこれである——これらのフレーズを用いて私たちが何をしているのか〔＝実際の用語法〕は、それほど重要ではない。私は、三つのアイデアを区別する必要があることを示唆したい。第一のアイデアは、行為者が好むか促進する理由を有するあらゆる事柄というアイデアである。あらゆる事柄とは、どんな理由であれ彼ないし彼女が好むものであり、彼ないし彼女自身に、または社会やその他どこであれ、起こってほしいと思うものである。第二の概念は、第一のものと同じものから、行為者自身に言及しないあらゆる欲求や目標を差し引いたものである。つまり、直接的にも間接的にも行為者自身の満足に関与しない事態への欲求を除外するのである。これによって、大雑把な言い方で自己中心的な諸項目からなるより狭い概念がもたらされる。それは、自分自身と結びついた理由によって人々が促進する理由を持つような事柄である。その概念は極めて漠然としたものであり、また問題が多く伴うが、私はそれを一人の人間の利益(interests)という概念と似たような何かであると受け止めている。これは第一のものよりも狭い概念である。ある人は他の人々の厚生を促進する極めてもっともな理由を有するだろう――それは利他主義的な理由かもしれないしその他の理由かもしれない――が、それを私たちは、彼ないし彼女が自分自身の利益ではなく誰か他の人の利益のために行為している、と当然のように言う。私は行為者自身の利益について語る場合はもちろん、この〔他の人々の利益という〕アイデアのために「福祉」という用語を時折用いるだろう。第三の、そして最も狭い概念は、行為者の経済的利益という概念である。また私は、「生活水準」というフレーズに結びつけられているのはまさにこの概念だと考える。私にはある人の経済的利益がどんな部類のものであるかが本当にはわからないし、またそれゆえ、この概念に時間を費やすつもりはない。

センはそのレクチャーでかなりの時間、これらの概念のうち第二のものについて議論しているように思われる。つまり、ある人の何かより狭い部類の経済的利益というよりは、その人の利益ないし福祉の概念である。しかしながらここで、センが適切にも一度ならず思い出させてくれている問いを心に留めねばならない。すなわち、生活水準というアイデアの実践的関連性が何であるのか、この概念を用いることへの動機が何であるか、という問いである。私たちは、生活水準という概念と政府の活動、あるいは他の形態の公的活動という概念との結びつきを議論に含める必要がある。人々の個々の利益を合わせた丸ごと全部よりも狭い概念として、私たちが生活水準について語るときに念頭にあるであろうことの一つは、直接的には政府の政策によって、どの利益が実効的かつ正統に影響されうるのかという問題である。どんな種類の利益が、様々な仕方でそれを促進する政府の政策の達成目標であるべきであり、また、達成目標とされることで利益はどのように影響されるのだろうか。そうした問いについて省察することは、実のところ、人々の特定の下位分類の利益——大雑把に言えば人々の経済的利益——が「生活水準」というフレーズで当然のように選び出されるべき理由を理解する手助けになるかもしれない。

　さて、ケイパビリティを同定するという問いへと目を向けよう。ある行為者の利益はその行為者が保有する（あるいは欠いている）ケイパビリティととりわけ結びついている、と私たちが述べるのであれば——これは明らかに〔センに〕好意的な提言である——何をケイパビリティとして見なすかについて何らかのアイデアが必要となる。

　センは、ケイパビリティがどのように機能と関係するかという問いを提起しており、また、可能なこと（the possible）が現実のこと（the actual）に立脚するように、ケイパビリティは機能に立脚するというアイデアへと注意を向けている。しかしながら、事はこのアイデアが一見そう見えるよりも複雑である。たしかに、「である（is）」から「できる（can）」へと至る推論は妥当なものである。スコラ哲学の格言が「あるものが存在するという事実から、それが可能であることが導かれる（*ab esse ad posse valet consequentia*）〔1〕」と述べるように、あることが現実のことであるという事実は、それが可能であるということを教えてくれる。そのため、誰かが現実にあることをなしているならば——彼がそれをなすべきということが可能であるという控えめな意味で——彼はそれをなすことができるということが導かれる。だがこのことから、一連の議論にとって適切な意味で、彼がそれをなすケイパビリティや能力（capacity）を有するということは導かれない。

ある部屋を通り過ぎるとき、何かが聞こえたのでのぞいてみたら一人の男が歌っていたとしよう。彼は現実に歌っており、またそのため〔スコラ哲学の〕格言によれば、彼は歌うことができる。しかし続いて、彼は精神的に錯乱しており、四六時中歌っているのだということがわかる。実際のところ、四六時中まるでそんな調子で歌っているのである。すると彼が歌うことは、私たちが通常歌うことと関連付けるケイパビリティ——他のケイパビリティとともに、歌わないというケイパビリティも含む——を表出したものではない。この論点は「機能」という用語に当てはまる。もし現実に歌うことがその点における「機能」を確立するのに十分なものであるならば、もちろんその狂人が歌うことは、機能の一例だということになる。この想定に基づけば、機能が実質的ないし適切なケイパビリティを必然的に含意すると言うべきではないということになる。だが実際にはむしろ、機能とケイパビリティとの結びつきは保ちつつ、かつ、狂人が歌うことは適切な意味で機能の一例ではないと述べるほうが、より自然である。行動を構成する一定の部分がある種の機能の例であることを確立するためには、むしろ、それらが適切なケイパビリティの表出であることを確立せねばならないだろう。

ケイパビリティが可能性（possibility）、また能力（ability）という概念とも関連する仕方についての、いくつかの重要な問いがある。私はここでケイパビリティについて〔それらの問いの中でも特に〕四つの問いを投げかけたい。というのもセンが、その〔能力という〕概念を議論の中で用いているからである〔レクチャー2の第7節〕。私は、それらの問いのうち一つか二つに解答を与えようと試みるつもりだが、解答を体系化する方法について確かなことはわからないし、他の問いについては、どんな解答を与えるべきかもわからない。

第一の問いはこうである。ある人がケイパビリティを所有しているならば、その人は選択する能力ないし機会を有するのでなければならないのだろうか。その解答は、少なくとも一部の事例において、次のものであるように思われる。当人を取り巻く諸々の可能性が仮にもケイパビリティとして見なされることになるのであれば、彼ないし彼女はそのような機会を有するにちがいない。〔架空の国である〕オーソリタニア共和国（the Republic of Authoritania）に住むことを想定してみよう。オーソリタニア共和国では皆、国家による有償の休日を得るのだが、特定のリゾートへと配置される。毎年、私はチェルネンコグラード（Chernenkograd）[2]という魅力のあるリゾート地へと配置される。すると私は、チェルネンコグラードへ行くケイパビリティを有するのだろうか。なるほど私はそこへ行き、そうすると〔スコラ哲学の〕格言によれば、私はケイパビリティを有するだろう。私は行くことができる。仮にケイパビリティが単なる可能性の問題であるならば、私はケイパビリティを有するだろう。しかし、このことを適切な意味でのケイパビリティだと呼ぶ人はいないだろう。それはケイパビリティではあるが、私たちが適切に関心を持つようなものではないと言う人はいるかもしれない。つまり、それはチェルネンコグラードへ行くケイパビリティではあるが、それだけのものであり、また十分なものではない、と。そこで、体制がもう少しリベラルになると想定してみよう。そうして私は、チェルネンコグラードに毎年行くのではなく、一定の年はそこへ配置され、また他の年はどこか別のところへ配置される。私は今や、ある場所もしくは他の場所へ行くためのケイパビリティを有するのだろうか。福祉と適切に関連する「ケイパビリティ」のいかなる意味においても、間違いなくそんなことはない。この種の事例において、間違いなく私は選択する機会を有するのでなければならない。このことは即座に次の問いを提起する。すなわち、入手可能な選択肢をより多く有するほど、より多くのケイパビリティを有するのかどうか、という問いである。この問いを手短に再び取り上げよう。

そこで第一の問いはこうなる。ケイパビリティは選択する機会や能力を必然的に伴うのだろうか。その解答は、ケイパビリティのうちの少なくとも一部には伴うというものだと思われる。すると第二の問いはこうだ。あらゆるケイパビリティには選択する機会や能力が必然的に伴うのだろうか。その解答は「ノー」だというのがもっともだろう。センはその第二のレクチャーでインドと中国の生活水準を比較する際、平均余命はインドよりも中国においてより高いという事実を一例として引き合いに出しており、そうした考えを用いているのだから。センは、生活水準を考える上で平均余命が関連性を有することをケイパビリティの観点から解釈する。しかし、平均余命の上昇によって拡大するケイパビリティとはどんなものだろうか。少なくとも生と死に関する選択については、〔平均余命の上昇によって〕選択範囲の拡大がいかにして引き起こされうるのかを理解することは難しい。平均余命の上昇が、自殺するかどうかを選択するためにより長い時間を与えるのだから私の福祉や生活水準に寄与している、と想定するのは極めて奇妙なことだろう（仮に社会が自殺を考えることにさえ反対するよう、強く条件付けられているとしよう。そうした条件付けを取り除くことで、その結果人々が〔自殺を〕選択することへとより傾くことは、人々の生活水準や福祉を向上させるだろうか）。センがケイパビリティとしてみなすすべてが選択に、少なくとも直接的に関係するようには見えないのである。もちろん、選択は直接的でない何か他の仕方で導入されるだろうが、ケイパビリティが福祉や生活水準の向上にそれ自体として寄与する善に対する選択に関係したものである必要はまったくない。

第三の問いはこうである。いかにしてケイパビリティを数え上げるのだろうか。とりわけ商品からケイパビリティを単純に生み出すのであれば、ここには瑣末化の危険が存在する。商品を増やすたびに、ケイパビリティが増えるとは言えるだろう。仮に新しい粉末洗剤「ブロッポ」を開発すれば、それによって、新たなケイパビリティ——「ブロッポ」を選択するというケイパビリティ——を創出することになる。たしかに、存在しなかったから以前は選択することができなかったが、今は選択することができる粉末洗剤がさらにもう一種類あるのだからと、広告主が私たちの自由やケイパビリティは拡張されていると教えてくれるのはしょっちゅうである。

その論法では、いかなるものであれ入手可能な商品が増加することは、単に論理的必然性によって、何らかの新たなケイパビリティを必ず創出する。もちろん、同じく論理的必然性によって、新たな商品の開発がケイパビリティを奪いもすることはたしかであろう。再び「ブロッポ」を持ち出すならば、ブロッポ〔の開発〕は、三つの粉末洗剤から選択しさえすればよいという（おそらくわずかではあれよりいっそう実質的に内容のある）ケイパビリティを奪う、などと言うことができる。こうしたことはすべて、言うまでもなくケイパビリティの瑣末な増加であり、また〔ケイパビリティを〕数え上げる際に含まれることはない。だが、ケイパビリティの重要な拡張として計算されるところのものを、いかにして決めるのだろうか。

ケイパビリティについての第四の、そして最後の問いはこうである。Xをなすことのケイパビリティは、今Xをなすための現実の能力とどのように関係しているのだろうか。先の〔第一の〕問いはケイパビリティと可能性との関係に関するものであった。この第四の問いは類似した種類の問いではあるが、ケイパビリティと能力との関係に関するものである。私たちは次のように言いたくなるのではないだろうか。仮に行為者がXをなすことのケイパビリティを保有するのであれば、行為者はXをなすための能力を保有しているにちがいない——つまり、行為者はXができるということが当てはまらねばならない——ということである。だが、こうした情況で「Xができる」とは何を意味するのだろうか。センは、この〔生活水準という〕主題についての別の論文（Sen 1984b）——本書のレクチャーと内容的に極めて密接に関係している――で、汚染されていない空気を吸うケイパビリティという、生活水準を考える上で非常に適切なケイパビリティを例に挙げている。この例はまさしく、生活水準をベーシック・ニーズの観点のみから、あるいは商品やサービスの観点のみから考えるべきではなく、ケイパビリティの観点から考えるべきことを主張するために持ち出されたのである。〔大気〕汚染に関して人々に与えられている、あるいは人々から奪われているのは、望ましいケイパビリティとして仮定されている、汚染されていない空気を吸うケイパビリティである。しかし、汚染されていない空気を吸うことができないと言われている、ロサンゼルスの住人を考えてみよう。彼が汚染されていない空気を吸うことができない、というのは真ではない。彼は吸うことができるのであるが、そうするためにはどこか他のところへ行かねばならないのである。たしかに、彼は今ここで汚染されていない空気を吸うことはできない。しかし、彼がそうすることができるということは、彼が今ここでそうすることができるということを必ず伴うわけではないのである。実際のところ、ケイパビリティという概念を福祉や生活水準といったアイデアの中心に据えることになるのであれば、ケイパビリティが、今ここで適切な事柄をなす能力を必然的に含むのだと主張してはならない。

このことは、機能について論ずる際にセン自身が言及する論点へと接続される。仮に私がAをなすかBをなすかの選択肢を有しており、そしてAをなすことを選択するならば、それは十中八九、もはやBができる事例ではない。つまり、もはやBをなす立場にはなくなっているだろう。しかし、そのことがケイパビリティを失ったことを意味するわけではない。ケイパビリティは〔機能よりも概念的に〕高次のものであり、私の有するケイパビリティが行為の中にその姿を現すには、その前に（私の現在の状況をふまえて）多くの条件が満たされなければならないだろう。だがこのことは、その概念的な内実に深く踏み込む問題を提起する。ある人があることをなすケイパビリティを有しているかどうかの裁定を下そうとする際、それをなすためのコストをどこまで考慮すべきなのだろうか。たとえば、私が冬に〔北イタリアの高級リゾート地〕コルティーナ・ダンペッツォに行くことができる、というのは本当だろうか。なるほど、ひょっとすると私は冬にそのリゾート地に行くかもしれない。それには家族を犠牲にする、退職する、家を抵当に入れる、またさらに突き進んで取り返しのつかないほどに預金から超過引き出しをする、といったことが伴うに過ぎないだろう。そのようにして私は行くことができるのだが、それには極めて高いコストが付随する。そのリゾート地に行くことは私が有するケイパビリティなのだろうか。これは、ロサンゼルスにいる人についての問いと同じ問いである。その人は、新鮮な空気を吸うことができるが、そうするためにはどこか他のところへ行かねばならないのであり、それは当然ながらコストが伴うことなのである。

こうした議論のすべてから導かれる論点が二つあると考えられる。その論点はともに、ケイパビリティについての議論がさらに深められる必要のあることを示唆するものである。一つは、これらの問いについて考えるにあたり、ケイパビリティを単独で取り上げることができるか極めて疑わしいことである。つまり、ともに実現可能な（co-realisable）ケイパビリティの諸々の組み合わせについて考えねばならず、また、人々が様々な領域のケイパビリティを獲得する社会状態について考えねばならない。このことは「ブロッポ」問題、すなわち瑣末な手段によるケイパビリティのでっちあげ〔の問題〕へと接続され、また私が最後に提起した〔もう一つの〕論点、一定の潜在的可能性（potentiality）や能力を実現するにあたって伴うコストについての論点にも接続される。そのコストとは大抵の場合、冬のリゾート地の例のように、何か他のことをなすための能力という観点からのコストである。

私がセンの立場を理解していればだが、彼が第一の論点を——おそらくテーゼを複雑化するが同じ精神の下にあるものとして——厭わず受け入れることが十分に考えられる。第二の論点は、センの見方からすれば〔受け入れることが〕よりいっそう難しいものだろう。これは疑いなく一部の人々が進展させたいと望むものであるが、これらの問題はケイパビリティそれ自体を参照することによっては解決されえず、権利の概念を導入せねばならないということを示唆するものである。生活水準や福祉という、一見して無垢で記述的に見える概念が、結局は人々が基礎的権利を有すると考えられている財についての考慮事項を含むことが判明するだろう。それゆえ私たちは実際に、どこか他のところに行かねばならないということなしにきれいな空気を吸う基礎的権利を人々が有すると信じるが、高価な冬季休暇のリゾート地に行く同様の権利を人々が有するとは考えないのである。私自身は権利を出発点として受け止めることにあまり満足しているわけではない。基礎的人権という概念は、私にはあまりに不明瞭なものに思われるし、むしろ人間の基礎的ケイパビリティの観点から基礎的人権に迫りたい。私はこの課題を果たすにあたってケイパビリティのほうを好むし、また仮に権利という言葉やレトリックを用いることになるとしても、ケイパビリティから派生した〔権利という〕言葉やレトリックを用いることを――その逆の方向からよりも――好む。しかし、〔権利とケイパビリティのどちらから始めるにしても〕未解決の問題が残ると考えられる。すなわち、これらの概念の関係をどのように見るべきだろうか。

ケイパビリティとその同定について私が提起してきた問いのすべてから次のことが示唆される。すなわち、一方のケイパビリティともう一方の福祉や生活水準との関係について考えるにあたって、重視されることになるケイパビリティの種類に、何らかの制約を課さねばならないことである。事実、私は基礎的なケイパビリティについて語り始めることでこっそりとそうしていたし、また、基礎的ケイパビリティや（先に言及した示唆を取り入れるならば）ケイパビリティの基礎的な組み合わせのような概念を考慮に入れることは避けがたいと考える。

そうした制約はどこからもたらされることになるのだろうか。伝統的には、そうした制約は自然

(nature)ないし慣習(convention)のどちらかからもたらされてきたか、あるいは、おそらくその二つがより洗練された形で結合したものからもたらされてきた。センは、リネンのシャツを着た人というアダム・スミスの見事な例を持ち出す〔本訳書三五―三六頁〕。すなわち、その社会の制度編成や期待される事柄を所与とすると、その人は、リネンのシャツを持たない限り恥ずかしい思いをせずに人前に出ることができない。加えてセンは、ここで商品の空間における多様性が、ケイパビリティの空間における不変性を映し出すものだろうと主張する。恥ずかしい思いをせずに人前に出るために必要なことは、どこにいるかによって異なるものの、ここには不変のケイパビリティ――すなわち、恥ずかしい思いをせずに人前に出るというケイパビリティ――が存在する。この根底にあるケイパビリティが、より基礎的である。私たちはシャツを着て人前に出るケイパビリティや、リネンのシャツを着て人前に出るケイパビリティ、「ブロッポ」で洗ったリネンのシャツを着て人前に出るケイパビリティに〔生活を〕支えられているのではない。むしろ、恥ずかしい思いをすることなく人前に出るという根底にあるケイパビリティを頼りにしているのである。また今度はそれが、自尊の道具を使いこなすケイパビリティといった、何らかのさらにいっそう基礎的なケイパビリティから派生するかもしれない。この段階で、とりわけこの論点においてケイパビリティの理論は、基本財の中に含まれる自尊の道具を包含する〔ジョン・〕ロールズの理論(Rawls 1971)と同盟を組むのである。[3] 実際、センはロールズの見方を議論するなかで、基本財がケイパビリティの観点から最もうまく理解されることを示唆してきた。

恥ずかしい思いをすることなく人前に出るケイパビリティ(あるいは、何らかのさらにいっそう一般的なケイパビリティ)は、どんな意味で基礎的ないし根本的なのだろうか。そのケイパビリティは人間についての何か普遍的かつ根本的な事実から派生する、という提案はありうるだろう。しかし、どんな種類の事実がこれにあたるのだろうか。人々が恥ずかしい思いをせずに人前に出たいと欲すること、人々が恥ずかしい思いをせずに人前に出る必要があること、恥ずかしい思いが人間の普遍的反応であること、それとも何だろうか。これは、普遍的な人間の事実をどのように表象するのかという問いである。普遍的な人間の事実は、それ自体でケイパビリティの観点から表象されることになるのだろうか。あるいはむしろ、ニーズや衝動、欲望、欲求不満といった観点から表象されることになるのだろうか。それらの自然的な基礎に目を向けるとき、ケイパビリティという術語は再び得られるのだろうか。

いずれにせよ、福祉や生活水準についての問題を裁定するのに適切なケイパビリティはみな、どの程度まで自然的な基礎を有しているのか、という問いがある。その説明は、自然と慣習との間で混交したものになるのが必至ではないかと私は思う。ある程度までは、人間本性の諸理論から考慮事項を引き出すことができるだろうが、それを超えれば、地域的文化の重要性に訴える必要があるだろう。〔そこで〕私たちは次のように言いたくなるだろう。いかなるケイパビリティが重要なものとなるかは社会に応じて決まる。というのも、それぞれの社会においてその文化理解が一定のケイパビリティを正統なものとしたり強調したりするからだ、と（以下の困難さを比較することが有益である。それぞれ、〔イギリスの〕トーントンでドイツ語が通じる郵便局を見つけること、〔カナダの〕アルバータ州メディシンハットでフランス語が通じる郵便局を見つけること、〔ケベック州のような〕フランス語圏カナダのどこかの郡区でフランス語が通じる郵便局を見つけること）。しかし私たちは、それぞれの地域で〔重要なものとして〕承認された実行可能性（capacity）や実行不可能性（incapacities）、機会や機会の欠如を、訂正なしにそのまま受け取ることができないということもまた、心に留めておかねばならないだろう。なぜなら、いくつかの場合には、何が承認されるかの問いが、まさに目下議論となっている点においてイデオロギー的なものとなるだろうからである。トーントンやメディシンハットで仏教の寺院が見つけられないことは論争を呼ばないだろうが、イスラム教国家でローマ・カトリックの教会を見つけられないことについてはどうだろうか。その辺りにローマ・カトリック教徒はいないのだから、そこでも同じく不満は何も生じないと言う人がいるだろう。では、一部のイスラム教国家で初等水準を超える女子学校を見つけられないことについてはどうだろうか。この場合もやはり、女の子たちが学校に行きたいと欲していないのだからこれによって不満を持つ人は誰もいない、と言う人はいるだろう。おそらく女の子たちは、何らかの初等水準や社会的に是認された水準を超える学校に行きたいとは欲していない。だが批判者にしてみればこのこと自体が、そのような国家において一般的であるような、この〔女子教育という〕点で低水準の福祉によってもたらされるものなのである。

私たちは、何が適切な機会と（また機会の欠如と）みなされるかについての地域的な予期を、一般化された社会理論や、そのような社会に対する一般化された倫理的批判に照らして、正さなければならない。本当の利益というものについての何かしらの教説に照らしてそうしなければならない、というのがありそうなことである。少なくとも伝統的には、そのような批判は本当の利益という教説を用いてなされてきた。当然ながらそうした教説は、今度は人間本性の諸理論へと、そして私たちが基礎的ケイパビリティあるいは基礎的利益などとして考察してきたものの観点から事態に着手する上での足場へと、一周回って元に戻ってしまうのかもしれないし、そうではないのかもしれない。

そこで私の結論は次のようになる。ケイパビリティという概念は実際に、人間の利益をめぐるこれらの基礎的な問いについての思考に極めて重要な貢献をなしており、またこのことが、経済的利益というより狭い概念から、あるいは重ねて言えば、より慣習的に把握された生活水準というより狭い概念から、極めて遠くまで私たちを導いてくれる。このことについて私はセンにまったく同意する。しかしながら、ケイパビリティが何であるかを同定することについては差し迫った問いが多くあり、また、さらなる理論が相当になければそれらに解答することはできない。これらの点で人間本性がどんな種類の事実を提示するのかを問わざるをえないのであり、また、地域の慣習をいかに解釈すべきかもまた、問わざるをえないのである。それらの問いは本当の利益のような事柄についての、何らかの伝統的ではあるが、にもかかわらず極めて差し迫った問題へと立ち帰ることになるのかもしれない。

訳注

［1］この格言については、イマヌエル・カントが形而上学講義の存在論において次のように言及している。「存在から可能への推理は有効である ab esse ad posse valet consequentia が、可能から存在への推理は有効ではない」（カント「形而上学L₂」氷見潔（訳）、八幡英幸・氷見潔（訳）『カント全集19』岩波書店、二〇〇二年、二七七頁）。

［2］この地名は、本書のレクチャーが行われた一九八五年三月にソビエト連邦第7代最高指導者であったがレクチャー前日（三月一〇日）に没した、コンスタンティン・チェルネンコの名を捩ったものではないかと考えられる。

［3］基本財（primary goods）とは、ロールズが『正義論』（一九七一年）において、功利主義の効用に代わる福祉の比較の指標として提案したものである。それを構成するリストには大まかに、権利、諸自由、機会、所得および富、さらに自尊（の社会的基礎）が挙げられるが、ロールズが極めて重要な基本財であるとしたのが自尊（の社会的基礎）である（Rawls 1971: sec. 15、邦訳第一五節）。

リプライ

アマルティア・セン

私のタナー・レクチャーに対して驚くほど魅力的かつ刺激的な（また心のこもった）論評を行ってくれた四人の名高いコメンテイターに、私はこれ以上ないほど感謝している。彼らはたくさんの興味深く重要な問題を提起してくれたが、このリプライで私はそのうちのほんのいくつかだけに議論を集中するつもりである。コメンテイターたち自身によって既に述べられたことに、私が何かしら付け加えることができるだろうと思われるものを論点として選んだ。

ミュールバウアーへの応答[1]

私はミュールバウアーがその建設的かつ広い射程を有する返答の中で提起した論点のほとんどに賛同する。とりわけ強く同意しているのは、生活水準に対して習慣および心理学が及ぼす影響についての彼の研究、そしてそれと同じくらい、「等価尺度（equivalence scale）」へのいくつかのアプローチ（特にロスバースによるもの）は他のアプローチよりも家計内部の不平等についてより多くのことを明らかにしてくれるという事実についての彼の指摘である。私はまた、自由の尺度を探究するにあたって、経済統計指数および不平等尺度についての文献が助けになりうるという点についても同意する。しかしながら、彼自身が述べているように、それらのアプローチにはそれぞれに問題があり、特定の達成度についての完備順序に基づいていきなり自由についての完備順序を（達成可能な選択肢の集合についての完備順序とみなして）得るような方法を何かしら考えようとしても、そこにはかなりの困難がある。「支配部分順序（dominance partial ordering）」を拡張することならば確かに可能だが、しかし一方に完備性、他方に関連性をおいたとき、この両者の間にはトレード・オフがある。私はこの問題について、〔先に出版した〕『福祉の経済学 *Commodities and Capabilities*』[1]において論じようと試みた。またこの本において私は、支配部分順序を拡張する他のいくつかの方法についても探究を試みた。

ミュールバウアーは、「機能」と家計内で生産された「基底的商品」との間にあるアナロジーに注意を向けた点においてもまた正しい。後者の概略はゲイリー・ベッカー（Becker 1976, 1981）や他の人々によって開発された「家計生産関数（household production function）」アプローチにおいて示されている。ミュールバウアーは正当にも、家計生産の見方が（「暗黙の市場、すなわち市場に関する経済学の家計への拡張」についての結果を引き出すために）関連付けられている「かなり制約の強い仮定」〔本訳書七七頁〕は、このアプローチにとって本質的なものではないということを明らかにした。私はこのアナロジーを受け入れるし、「機能」とそれら「基底的商品」との間に類似性があるということについても、賛同することにまったく困難を感じない。しかし、このアナロジーが誤解を招くものであるかもしれない、という点は、なお論じることができる。というのも、機能とはある人が存在しているその状態に関する諸特徴のことであり、その人あるいは家計が折よく「保有」したり「生産」したりする、〔個人から〕切り離された対象だと簡単にみなしてしまうことはできないからである。病気にかからないでいること、長く生きること、「人前に出て恥ずかしい思いをする」ということがないこと（これはアダム・スミスが『国富論』において分析した考察である）は、非常に奇妙な意味でしか商品とみなせないのであり、このアナロジーが――それはあくまでアナロジーでしかないのであって――経済分析にとって形式的にであれ非形式的にであれとりわけ有益なものであるのかどうかは問うに値する。このアナロジーによって提起される疑問がとりたて適切なわけではない、ということはままある。たとえば「その商品一単位を生産するのに必要な時間」はどれくらいか、という問いのように（Becker 1976: 6）[2]。さらに、機能のうちの多く（たとえばコレラや天然痘にかからないで生活できることなど）は、家計内で「生産」されるのと少なくとも同じくらいには家計外でも「生産」される（たとえば感染予防の公共政策を通じて）。それゆえ私は次のように論じたい。「家計生産関数」とのアナロジーは、ベッカーや他の人々が「暗黙の市場」に関する結果を引き出すために設定した非常に厳しい仮定によってだけでなく（それについてはMuellbauer 1974b およびPollak and Wachter 1975を見よ）、家計生産アプローチが用いている「商品」というまさにその概念によっても制約されているのであると。その概念は、私が今回のレクチャー（およびSen 1982; 1985a）で探究した「機能」〔という概念〕とは、かなり大きく異なるものである。

「人間開発」の諸指標とのアナロジーに関するミュールバウアーの指摘もまた啓発的であり、そしてこちらは比較的問題が少ない。とはいえ、人間開発という指標はいかなる種類のものでもあり得るのであり、様々な文献において、多種多様な指標が考案されそして提起されている。「機能」と「ケイパビリティ」に焦点を合わせることは、関連する指標の特定のクラスを選択するということを表しており、本書で精査してきたアプローチはこの点に関して見れば、生活水準の文脈において、いっそう詳細な見通しをもつものとみなされるに違いない。実際のところ、それが何であれ、ある特定の集合を用いることの背景にある動機を評価する必要は存在するのであり、〔人間〕開発の諸指標を用いるアプローチは（「ベーシック・ニーズ」アプローチと同じように）、「効用」あるいは他の基底的概念に基づいたいっそう古典的なアプローチからの異議に対し立ち向かっていかなければならないだろう、と論じることができる。

第二レクチャーで論じようと試みたように、ピグーのような功利主義の経済学者でさえ、本質的には「ベーシック・ニーズ」を対象とする——しかし功利原理に基礎付けられた——アプローチを強く支持することがありうるのである。ベーシック・ニーズのアプローチはこの意味で、必ずしも功利主義的な見方の対抗者であるわけではない。というのも、〔この両者の〕対立点は、〔ベーシック・ニーズに注目するか否かではなく〕ベーシック・ニーズに焦点を合わせることの基礎を精査するという文脈においてのみ生じてくるものだからである。機能および自由の本質的な関連性をめぐる議論がとりわけ重要なものとなるのが、この文脈である。

いくつか強調点の違いはあれども、全般的にいえば私は、ミュールバウアーがこの上なく有益かつ創造的な返答において提起してくれた〔レクチャーにおける私の議論の〕拡張、発展そして解釈について、非常に大きな共感を覚えている。

カンブールへの応答

ラヴィ・カンブールは、生活水準の説明のある特定の側面に集中的に光を当てたが、彼が論じたその論点は個人の優位性（advantage）の説明一般についての一側面でもある。それはすなわち不確実性に関わる問題であり、カンブールはその事後的な見方が、事前的な見方と体系的な形でどのように相違するのかを、明確かつ啓発的に明らかにした。彼は優位性を判断するにあたって事後〔的な見方〕の重要性を支持する立場に与しており、そして私は、彼が考察する例における彼の推論には説得力があると理解している（私はただ、彼が仮想的な例において、ある優位性を与えられており、それを守ろうとして事後的な平等化を求める主張に――私のみるところではみっともなく――抵抗する人物を《セン》と呼び、「《セン》であればこう論じるであろう」と論じるのをやめてもらえればと願うのみである！）。

人がそこから要素を選び出すところの「ケイパビリティ集合」（その中での選択はその人自身のものである）と、「不確実性分析」における「生じうる帰結の集合（possible outcome set）」（その中での選択はその人自身のものではない）との間には、重要な相違がある。後者の文脈における事前の優位性は、カンブールが提示した理由のために、確かに割り引いて考えることのできるものである。しかしながらそれらの理由は、前者の種類の（その選択がその人自身のものであり、結果がその人の選択を反映している場合の）事前の優位性について割り引いて考えさせるものではまずないだろう。ケイパビリティと優位性についての私の議論は前者のケースに関連しているが、カンブールは後者に集中している。私がこのように述べるのはあくまで明確化のためであり、二つの種類の事前の集合が有する関連性の相違についてカンブールが同意しないだろうとは思っていない。

もし私がラヴィ・カンブールに対して何か同意できない部分があるとすれば、一般にはケイパビリティについて、また特に生活水準についてランキングする際に「支配関係による理由付け（dominance reasoning）」が有する限界についての彼の取り扱いにある。不確実性を導入することで支配関係による理由付け〔を用いることができる可能性〕はよりいっそう限定される、という点においては、彼はたしかに正しい。互いに異なる個人からなる一つの社会状態についての全般的評価に到達することが目指されている場合にはとりわけその通りであり、そして彼が直接に関心を抱いているのはこの問題であるように思われる。しかしながら、特定の個人の生活水準について判断するという文脈においては、支配関係による理由付けは非常に強く限定されているかもしれないし、されていないかもしれない。たとえば、カンブールは仮想的な例の中で「《セン》から一部のケーキを取り上げて《ウィリアムズ》に与える」ことを推奨して話を終えているが、そこで彼は「そのような制度編成は実際には両者の生活水準の壊滅的な低下へとつながるだろうという議論に私はそれほど説得されないだろう」と明確に述べている〔本訳書一二一頁〕。

これはたしかに正しいが、しかしケーキを《セン》から取り上げることが彼の生活水準を低下させるであろうことに疑いの余地はない（それが破局的なほどであるかどうかはまったく別の問題である）。くじに参加する仮想上の《セン》の自由は縮小されたことだろうし、さらには、彼の有するケーキはより少なくなったことだろう。他の条件を所与とすれば、これが仮想上の《セン》の生活水準の低下であることはたしかだ。仮想上の《ウィリアムズ》について言えば、そこにはコンフリクトがある。くじに参加する彼の自由はより小さいが、結果として彼はより多くのケーキを手に入れる。しかしながら、このコンフリクトがあるからといって、仮想上の《セン》の生活水準の算出において支配関係による理由付けに曖昧なところはないということ、そして、この理由付けは個人の生活水準の判断においては明らかに十分うまくやるだろうということを、見落とすべきではない。このケースにおいてなされるべきことは何かという公共政策上の問いは、もちろん「支配関係」によっては決定され得ない。というのもその問いには《セン》だけでなく《ウィリアムズ》も含まれるのであり、そして支配関係による理由付けの射程は、社会的な総計が考慮される場合には、事実かなり大きく限定されてしまうからである。しかし実際のところ、このことは私のレクチャーの焦点ではないのだ（とはいえ、概して私は「社会的選択」という主題を拒むつもりはまったくないのだが）。支配関係による理由付けが私たちを前に進めてくれるのは、個人間のコンフリクトを解決する場面ではなく、個人の生活水準を決定する場面においてなのである。

ハートへの応答

キース・ハートの魅力的な論文は、数多くの興味深い問いを提起するとともに、生活水準に関する有益かつ重要な分析を提示してくれている。その分析において生活水準はとりわけ、彼が「商品」と呼ぶものの生産および使用という観点から把握されている。私は彼の議論は適切なものだと理解しているが、おそらく、彼の分析における「商品」という用語の使用が、近代経済学において共有されている用法とはいささか異なるものであることに注意を促すべきだろう。彼が〔「商品生産」に対比させて〕「自己供給（self-provision）」と呼ぶものは、近代経済学のジャーゴンにおいて「商品」と呼ばれているものも含みうる（たとえば生産者家族の内で消費するために生産された食料）。しかし「名称に関する」論点をひとたび整理してしまえば、ハートがどんなことを、いかなる理由で述べているのかは完璧に明瞭である。

ハートは自身のアプローチを「センのアプローチがそうであると思われる以上に、主流派の経済分析にいっそう共感的」だと述べている〔本訳書一五〇頁〕。この対比がまったく疑う余地のないものと言えるかどうか、私は確信が持てないでいる。彼は「労働生産性の根底にある諸々の趨勢は、生活水準の改善にとっての鍵である」と考えていることを強調する〔本訳書一五〇頁〕。これは生活水準の変化の原因についての主張であり、生活水準の概念化の方法についての主張ではないように思われる。仮に生活水準が（私が論じたように）「機能」および「ケイパビリティ」によって把握される場合であっても、「労働生産性の諸々の趨勢が生活水準の改善にとって鍵である」と論じることはなお妥当性を有するだろう。私が取り組んだ問いは、生活水準を把握し、特徴付け、そして計測するその方法に関わるものである。

労働生産性の諸々の趨勢は、非常に入り組んだプロセスを通じて生活水準に影響を及ぼす。労働生産性の向上の結果としての商品の全般的な利用可能性の向上は、人口の様々なセクションにおいて生活水準の向上をもたらすだろうが、その内実は総供給量の分配、および人々にこれこれのことをしたりあれそれのようであったりすることを可能にする、商品の利用〔の仕方〕に依存する。つまるところ、ハートによる因果分析の第一義的な関心は、私がこのレクチャーにおいて取り組んだのとはかなり異なる問いへと向けられている。それゆえに私は、ハートによって提起された問いの重要性と、それらの問いのうちのいくつかは私自身の問いとはかなり異なっているという事実、この両方を同時に主張しなければならないのである。

ウィリアムズへの応答

最後に、私が発展させようと試みたアプローチに対する、バーナード・ウィリアムズからの友情のこもった質問へと移ろう。彼の言葉遣いが友情にあふれたものだからといって、彼が極めて難しい質問を投げかけているという事実を見逃すことになってはならない。それはもしかすると、レクチャーで提示されたアプローチに重大な傷をもたらすかもしれないものなのだ。

　ウィリアムズの分析から非常にはっきり現れてくることの一つは、生活水準に対するケイパビリティ・アプローチを適切な形で追求するには、様々に異なる評価実践が必要不可欠だということである。（彼の議論の中にあるジョン・ダンの見解もまた、この問題の関連性と中心性の理解に貢献していた。）たしかに、生活水準の評価において「機能」および「ケイパビリティ」が傑出していることについてのいかなる指摘も、評価そのものを行っているというよりはむしろ、評価が行われるべき適切な「空間」を特定しているにすぎない。そのような評価（そのもの）に関する問いのいくつかは困難で、論争的で、おそらくいくつかのケースにおいては決定不可能でさえある（生活水準の部分順序に至る（までしかできない））ことが判明するかもしれないが、とはいえ私はそのことが多大な当惑をもたらす事態であるとは思わない。私は他の場所で次のように論じようと試みたことがある。すなわち、「機能アプローチにおいてわれわれが究極的に関心を寄せるのは、あくまで評価である」（Sen 1985a: 21、邦訳四九頁）としても、このことが「空間」の重要性、すなわち「機能」および「ケイパビリティ」に集中することの重要性を減ずることはない、と。このことはまた、効用ベースのアプローチに対して何らかの名誉回復ももたらさない。功利主義アプローチもまた評価を含み、この場合には評価は仮説的に同質的とみなされるところのある量（すなわち効用）についてなされ、そして評価関数はシンプルに単調かつ直線的な形をとる（恒等写像として把握することさえ可能である）[2]のだが、それでも何らかの評価が明示的にであれ暗黙にであれなされているという事実は認識されなければならない。「機能」および「ケイパビリティ」に固有の多元性は、評価の根本的な必要性に変化を加えるものではないし、効用の同質的な単一性が――たとえそれが真であったとしても――この基礎的な必要性を変更してしまうこともない。評価実践には「自然（nature）」〔に基づく部分〕と「慣習（convention）」〔に基づく部分〕が混ざり合って含まれざるをえないことを強調する点においても、やはりウィリアムズは正しい[3]〔本訳書一六八頁〕。

評価が必要だという認識は、ケイパビリティが追加されたり、また取り去られたりするケースについて整理する上でも役立つ。これはウィリアムズの議論において、「ブロッポ」と呼ばれる新しい粉末洗剤が導入された結果として生じた事態である。そこでの問いは、「ケイパビリティが何であるかを同定すること」〔本訳書一六九頁〕にはそれほど関係なく、むしろ互いに異なる様々なケイパビリティの評価によりいっそうの関係がある。多くのケイパビリティは瑣末で無価値なものかもしれないが、他のものは本質的で重要なものである。機能およびケイパビリティの空間に集中することで獲得される優位性は、個人、家計および国家の生活水準を判断するという文脈におけるこれらの評価の必要性を消去するものではない。私の考えでは、それは単に「重視されることになるケイパビリティの種類に、何らかの制約を」〔本訳書一六六頁〕課すというだけの問題ではまったくない。異なるケイパビリティを異なる形で、これ以上ないほど重要なものから完全に瑣末なものまでの幅をもって評価するという、いっそう詳細な見通しを持った実践が必要とされるのだ。「ブロッポ」が〔選択肢に〕付け加えられるというのはおそらく、折よくも明白に後者〔完全に瑣末なもの〕の極限に位置しているのだが、しかしよりいっそう複雑なケースもありうる。

ウィリアムズが「基礎的ケイパビリティ」として言及するものの関連性が特に明確になるのは、生活水準をランク付ける場面ではなく、貧困と剥奪を評価するという目的のもとにカット・オフ基準を決定する場面においてである。[4] これは「制約（constraints）」の形をとる〔＝ある条件を満たすか満たさないかが問題となる〕。というのも私たちは、人々が貧困状態にあるのかそうでないのかを決定するためにカット・オフ基準を求めているのだからである。他方で、生活水準のランク付けを行う際には、私たちはもっと詳細な見通しをもつ評価アプローチを必要とする〔＝ある条件を満たすか満たさないか以上の判断を必要とする〕。「基礎的人権という概念」は生活水準を判断するという文脈において役に立つのだろうか、とウィリアムズは問いかける〔本訳書一六六頁〕。私はその概念が生活水準のランク付け一般においてとりわけ有益でありうるとは考えていないが、貧困および剥奪を評価するという特定の文脈においては多大な関連性を持ちうると考えている。

「ともに実現可能なケイパビリティの諸々の組み合わせ」に目を向けなければならない、というウィリアムズの提案に移ろう〔本訳書一六五頁〕。私はこれに完全な同意を表明せざるを得ない。まさしく、機能の達成度はつねにn次の要素からなるものとして把握されなければならないし（時にはベクトルとして表現可能だが、つねにそうだというわけではない）〔3〕、ケイパビリティはそれらn次の要素を持つものの集合として把握されなければならない。この「多次元」フォーマットにおいては、ロサンゼルスの住人が汚れていない空気を吸うことができる、という〔人々が共同で実現するような〕事態を取り扱うのに何の特別な問題もない。もしこの人物がきれいな空気を求めて引っ越すならば、その代替的選択肢〔の価値〕は転居の後の、n次の要素からなるすべての機能に照らして把握されなければならない。ランク付けられる対象はn次の要素からなる機能、およびそのようなn次の要素からなる集合、すなわちケイパビリティである（Sen 1985a: Ch. 2, 6, 7）。

ウィリアムズによる以下の三つの区別は極めて有益である。（1）「行為者が好むか促進する理由を有するあらゆる事柄」、（2）そこから「行為者自身に言及しないあらゆる欲求や目標を差し引いた」もの、そして（3）「行為者の経済的利益という概念」〔本訳書一五八頁〕。ウィリアムズは、「「生活水準」というフレーズで当然のように選び出されるべき」なのは「経済的利益」のカテゴリーであると論じる〔本訳書一五九頁〕。私の考えでは、この診断にはかなりの妥当性ある。（実際のところそれは、Sen（1984b）において私が実際に取ったのとかなり近い立場である。）しかしわたしはそれにすっかり説得されてしまうわけではない。というのも、生活の質、および人が達成することのできる生活水準として記述されうるものには、純粋に経済的なもの以外の要素も組み込まれているものだからである。たとえば、ある人が不治の病に苦しんでいるとしよう。そのことが当人の（生活の「量」〔すなわち人生の長さ〕に影響を与えるのに加えて）生活水準を低下させるものとして把握されなければならないことは明らかである。そしてこれは経済的影響にのみ左右されるものではないだろう。ここには論じるべき何かがあるのであり、今回のレクチャーで述べたように、私は純粋に「経済的」なものへのピグー主義的な注目から、生活水準のもっとずっと広い特徴付けへと、立場をいくぶんか変更したのだ。しかしながら、私がやったことは結局のところはこの概念の過剰拡大である、という可能性はある。生活水準についての私の議論は、「何かより狭い部類の経済的利益というよりは……福祉」にいっそう関心を向けているとウィリアムズは述べている〔本訳書一五八頁〕。私は生活水準を経済的利益よりももっと広いものだと考えているが、「福祉」と「生活水準」との間には区別があるとも考えている。以下に論じるように、後者〔＝生活水準〕はウィリアムズのカテゴリー2とカテゴリー3の間に現れてくるのである。

　カテゴリー2は当人自身の厚生（welfare）に結び付けられるあらゆる理由を含む。そのような結びつきのうちのいくつかは、たとえば自分自身の栄養摂取を追求しようとすることのように、直接的なものである。またいくつかは間接的なものであり、他の人々が悲嘆に暮れているのを見るのは苦痛であるという理由から貧困全般の除去を追求しようとすることがその例として挙げられる。「生活水準」を定義する上で、私は後者のタイプの理由を除外しようと考えた。それらは第一義的には他の人々の生活に関するものである。対して前者は、当人自身の生活に直接に関連するものであり、これは〔生活水準の定義に〕含み入れようと考えた。ここで仮に、カテゴリー2とカテゴリー3の間にあるこの中間的カテゴリーをカテゴリー2*と呼ぶとしよう。このカテゴリー3すなわちウィリアムズのカテゴリー2すなわち「自己中心的な諸項目」と、カテゴリー2*において、「経済的利益」の間にある何ものかであるところの「生活水準」が区分けされる〔本訳書一五八頁〕。ある人の生活水準について、ウィリアムズのカテゴリー3よりもいっそう包括的なこちらの見方を取るべき理由は、生活水準という概念の中に、当人の生活に直接的に影響を与える非経済的な特徴（たとえば病気にかかっていないこと）の影響を認め、経済的利益よりももっと広いものとして生活水準を捉えることができるからである[5]。

これらのことすべてについて、厳密に正しいことがわかった、などと確信することは容易ではないし、いずれにせよ、ウィリアムズが正しくも強調したように、生活水準の特定の定義が有用であるかどうかは、私たちがそれを何について利用するつもりなのかに大きく依存する。私はウィリアムズのカテゴリーには多くの使い道があることを理解できているが、しかし私の考えでは、生活水準の適切な特徴付けとして、中間的なカテゴリー2*を用いるべきであるようなケースもまた存在するのである[6]。

最後に、ウィリアムズのこの上なく興味深い議論について簡単に見解を述べておくべきだろう。何かをなすケイパビリティはその反対のことをなすことができることを含意するのでなければならない、という主張を導く議論のことである。私はこの議論が説得力をもつことを理解しているが、しかしそこから引き出されるその当の結論については確信を得るには至っていない。私たちは時として、反対のことをすることができなくても、嘘偽りなしに、何ごとかをなすことができる。たとえばアンは、もしそのように選択するならば、ビルと結婚しないでいることができる（ビルが何を欲しているかと無関係に）。しかしこのことは、もし彼女が選択するならば（すなわちビルと結婚しないでいることをしないことが）できるということを含意するわけではない。同様に、ビルはいつでも彼が選択する時点で自分の人生を終わらせることができるだろうが、いつでも人生を延長することができるわけではない。実行可能性のうちのいくつかは本質的な非対称性を有しており、ある特定のケイパビリティはその反対のことをなす可能性もまた存在している場合に限って現実的でありうる、と主張するのは理にかなったことではないだろう。

もちろん、代替的な選択肢に何があるかということは、レクチャーの中で私が「洗練された機能」と呼んだ概念に関連するものであるに違いない（Sen 1985a; 1985b も見よ）。たとえば、餓死しないでいるという代替的な選択肢を有している場面で餓死する、という意味での断食は、そのような代替選択肢を持たない場面で餓死することとは大きく異なる。私の考えるところでは、他にいかなる機会が存在しているかを考慮するのは適切なことであり、そしてこのことが「洗練された」方法で機能を特徴付ける上で重要な論点となるのはたしかである。(7) とはいえ、ある人がそのケイパビリティにおいてAすることができるならば、彼あるいは彼女はAではないことをすることができることも必ず含意されるはずだ、という信念に対しては、一般的に考えれば疑問が出てくるだろう。ある人が、選べばいつでもAすることができるとしても、Aではないことをしようとするその人の努力は、時として成功することもあればしないこともあるというのがありそうなことである。そのような状況において人はAを達成するケイパビリティを有するが、しかしAではないものを達成する完全なケイパビリティを有してはいないのである。[4]

ウィリアムズは、生活水準に対するアプローチとして私が提示しようと試みたものに関して「差し迫った問いが多く」残されていること、そして「さらなる理論が相当になければそれらに解答することはできない」ことを指摘している〔本訳書一六九頁〕。私はこの点について彼に完全に同意しており、それゆえレクチャーを、私たちの「進むべき道は長い」と述べて締めくくったのだった〔本訳書六九頁〕。たとえ機能およびケイパビリティの方へ進むという基本的な方針が受け入れられるとしても（ここまで提示しようと試みてきた理由により、私はそうすべきだと考えている）、なお多くの困難で込み入った疑問が、答えられるべきものとして残るだろう。しかしウィリアムズの、またミュールバウアー、カンブール、そしてハートの啓発的なコメントが極めて明快に示してくれたように、それらの疑問の多くに対して建設的な仕方で取り組み、前に進むことは可能である。私はこれ以上のものを求めることはできなかったが、いま心から感謝している。

原注

（1）Sen（1985a: Ch. 7）。また、要素のランキングに基づいて集合をランク付けることに関してそこで言及されている専門的な文献も見よ。

（2）この問いについてはSen（1985a: 15–16）も見よ。

（3）しかしながら、慣習が関連性を有することによって、批判的な評価の必要性が否定されるわけではないし、慣習的な価値を自動的に受容することが提唱されるわけでもない。評価の問題におけるいくつかの困難な課題については、私の第二レクチャーで簡単に論じた。Sen（1985a: Ch. 3-5）も見よ。

（4）私はこの問いについてSen（1983a）において議論を試みている。

（5）病気と死はもちろん部分的に経済的要因による影響を受ける（たとえばそれらは所得と富に影響される）。しかし他の影響もまた存在する。とはいえ、それらの影響がどんなものであれ、病気にかかっていることあるいは死んでしまっていることが、人の生活の質および水準に影響を与えるものであるのは明らかである。

（6）カテゴリー1に対比して、ウィリアムズのカテゴリー2は、Sen（1977a）で言うところの「共感」を含むが「コミットメント」を含まない。この点についてはWilliams（1973）も見よ。カテゴリー2*では「共感」も除外される。ウィリアムズのカテゴリー3では、自己中心的な非経済的理由もまた除外されるだろう。

（7）ウィリアムズは、「可能なことが現実のことに立脚するように、ケイパビリティは機能に立脚する」〔本訳書一五九頁〕という私の見解に対して疑問を提示している。「精神的に錯乱しており、四六時中歌っている」人物についての彼の例〔本訳書一六〇頁、四六時中歌う人物については、実際に歌っているのだから彼には歌う自由があることになる、と（現実→可能の流れで）解釈するのは難しい、ということを示す例〕は、実際のところ、そのような騒音を出さないでいることができる場合に「歌う」という、「洗練された」機能の形で再検討できるかもしれない。このことは、「狂人が歌うことは適切な意味で機能の一例ではない」〔本訳書一六〇頁〕というウィリアムズの診断を支持するだろう。しかし、もし人がある機能を適切な意味において達成しようとしているならば、そのときにはその意味において、その人はまさに機能を実現するためのケイパビリティを有している。「ケイパビリティ集合」をn次元の要素を持つ機能の集合として、実際に（不確実性なしに）達成されたn次元の要素を含むものとして特徴付けることは、機能についての様々な解釈と――「洗練された」もの（たとえば、この狂人は実際には〔自由に〕「歌う」ことができていない〔とする解釈〕）も、「洗練されていない」もの（彼はそうすることができている〔とする解釈〕）も含め――整合する。

訳注

［1］以下、小見出しは訳者が付したものであり、原文にはない。

［2］恒等写像（identity mapping）とは、引数と値が一致する写像のこと。要するにインプットとまったく同じアウトプットを出す関数であり、形式的にはf（x）＝xと表現される。単純な功利主義においては、個人Aの得る効用が10ならその人の生活水準の評価は10、個人Bの得る効用が20ならその人の生活水準の評価は20であるというように、効用の値をそのまま評価の値として扱うことがありうる。あらゆる功利主義者がこのように考えるわけではないが、功利主義においてはこのように評価プロセスをごく単純な形で考えることさえ可能だということが述べられている。

［3］n次の要素のすべてが数値表現されうる場合にのみ、ベクトル表記が可能になるが、しかし機能の要素はすべて数値表現できるとは限らない、ということが述べられている。この点についてはA. Sen（1988）"Freedom and Choice: Concept and Content", *European Economic Review*, 32（2-3）の二八九頁等を参照のこと。

［4］以上の文章においてAとした部分は、原文では∝（比例記号）である。しかしここでは「何らかの行為」を示すために用いられており、記号そのものに意味はないと思われるので、日本語として馴染みやすいようにAで置き換えた。

訳者解説

生活水準をめぐる哲学と経済学——現実を見据えて視野を広げる

玉手慎太郎

この解説では、本書に収められたセンの二つのレクチャーについて、その構成を整理しながらいくつかの論点を解説し、センの問題関心について補足説明を行う(1)。そもそも何が問題になっているのか、どんな問題を念頭において議論がなされているのか、といった点について明確化していくことで、読者の助けになればと考えている。

あくまでセンのレクチャーに対象を限定した解説であり、本書全体の議論をカバーするわけではなく、また発展的な議論を提供するわけでもない。とはいえ、センのレクチャーが本書の基軸となっていることは間違いないのであり、その要点を把握することは本書全体のクリアな理解にも通じると思われる。めくるめく議論が展開されている会議場の、その最初の扉を開いておくドアマンのつもりで、読者の皆さんをご案内したい。

1　生活水準をめぐる二つの関心

この本の検討課題であり、また本書の原題でもある standard of living は、言うまでもなく「生活水準」を意味する言葉であり、その人の生活の良さ（その人がどれくらい良い水準にあるか）を表している。レクチャー1の冒頭でセンが述べるように、この問題は私たちにとって非常に身近なものである。生活水準が向上しているかどうか、よりシンプルに言えば生活が楽になっているのかそれとも苦しくなっているのか、という問題は誰しも気になるところであろう。たとえば、転職をしたことで・引っ越したことで・四〇歳になって・新型コロナウイルスの感染拡大によって生活の様子はどう変わったのかを考えることは、私たちの日常において珍しいことではないし、また（「序論」においてホーソンが強調するように）それはいまや国家の当然の関心でもある。

しかしながら、「生活水準」について考えるということは、実はかなり複雑な営みである。まず、この言葉が何を意味しているのかを正確に突き止めなければならない。というのも、私たちが生活水準という言葉を（あるいは「良い生活」という言葉を）用いるとき、そこに込められた意味には様々なものがありうるからである。私たちは非常に高い年収を得ている人の生活を良いと評価することもあれば、むしろ趣味や友達づきあいの豊かさの観点から生活の良さを語ることもある。生活水準が大事だ、ということには誰もが同意するとしても、それは具体的に何が大事だという話をしているのか、必ずしも明確な一致はない。これが生活水準をめぐる概念上の関心である。

さらにもう一つ別の問題がある。生活水準は高かったり低かったり、また上がったり下がったりするものである。であれば、それを何らかの形で計測することができなければならない。ところが、人々の生活の良さを計測するというのは簡単なことではない。その人が感じる「幸福度」など、客観的に把握することが（不可能ではないにせよ）難しい要素もある。また現実の調査においては実質的には計測できない要素もある。たとえば今月何にどれだけお金を使ったかは、理論上は把握可能だが、よほど几帳面にメモを取っている人でなければ正確に答えることはできないだろう。生活水準について真剣に考えるならば、どのようにして計測するのかについても考えなければならない。これが生活水準をめぐる実践上の関心である。

これら二つの関心はもちろん、別々に考えることはできない。生活水準が概念的に何を意味する（べき）かという点は計測尺度を選択する上で無視できないし、計測尺度として何が適切かという点は概念上の適切さの判断に影響する。たとえば、実践上の関心から所得という尺度で生活水準を測ることに決まれば、それは生活水準の意味を（少なくともその文脈では）所得として特定することを意味することになるだろう。もし概念上の関心から所得という尺度は不適切だとするならば、その判断は計測尺度として所得以上のものを要請するだろう。以上のように、生活水準の尺度の決定は、単一の決定でありながらも、二つの関心が絡み合った形でなされることになる。

少しばかり乱暴な言い方をすれば、概念上の関心は哲学者が抱いてきたものであり、また実践上の関心は経済学者が抱いてきたものである、とひとまず述べることができる。哲学者たちは何が人間の生を幸福にするのかについて、それこそ古代ギリシアの時代からずっと議論してきたわけだが、他方でそれをどのように客観的に計測するかという関心は薄かった。対してセン自身がレクチャー2で指摘するように、ウィリアム・ペティを先駆者として計測の問題に関心を抱く者たちが現れ、人間の幸福をめぐる探究は経済学者たちに引き継がれた。しかし経済学はその後、人々の生活の良さを「人々の選好の満足度」として、また政策の実践に関しては所得によって捉えるという見方を採用し、経済モデルの精緻化に注力してきた。この点について現代の哲学者たちは、その概念上の不適切さを様々な観点から批判している。本書においても、ミュールバウアーとウィリアムズのコメントのそれぞれは、実践上の関心に軸をおく経済学者と概念上の関心に軸をおく哲学者の反応として典型的なものであると言えるかもしれない。

センが探究しようとしているのは、以上のような概念上の関心と実践上の関心の双方を満たす、そのような生活水準の捉え方を見つけ出すことである、と整理することができる。あらかじめこのことを踏まえておくことで、レクチャーの議論が何を目指しているのかについて把握しやすくなるだろう。

2　レクチャー1の問題設定と構成

では具体的に二つのレクチャーの議論を見ていこう。レクチャー1では上述の二つの関心のうち主に概念的関心に基づいて検討がなされる。すなわち、生活水準の概念を適切に把握する上ではいったいどの立場が適切か、ということが問われることになる。

ここで二つのレクチャーを通底する重要な理論的基盤として導入されるのが、二つの多元性の区別である。生活水準には互いに代替的な多くの捉え方があるし（競合的多元性）、また一つの捉え方の内部にも多くの要素が含まれているかもしれない（構成的多元性）。唐突ながら訳者の好物であるにんじんを例として挙げれば、値段の安いにんじんと、サイズの大きなにんじんと、栄養価が高いにんじんのうち、どれが「良い」にんじんだろうか（＝にんじんの「良さ」の指標として適切なものはどれか）、という様々な評価軸の間での比較が、競合的多元性の問いである。他方で、一口に栄養価が高いといっても、にんじんに含まれる栄養素は多様である（タンパク質、炭水化物、種々のビタミンなど）ため、これを把握する上では多様な項目を統合的に評価しなければならないが、いかにしてそれをなすかが構成的多元性の問いである。あきらかに前者の問いのほうが（あれかこれか、という問いになるので）わかりやすい。

第1節および最終節でセン自身が述べるように、レクチャー1の主題は主として競合的多様性にある。「このレクチャーの大部分において関心を向けたのは、生活水準というアイデアの内にある競合的多元性をめぐる、いくつかの実質的な問題を片付けることであった」（本訳書三九頁、傍点は原文イタリック）。しかしながら、競合的多元性の問題と構成的多元性の問題は、独立させて順番に論じることができるようなものではない。シンプルに「生活水準の捉え方Aと捉え方Bのどちらがより概念的に適切か」という競合的多元性についての問いを考える上でも、生活水準が本来的に有する構成的な多元性の問いを考えないわけにはいかない。実際には以下のような形で、（問いとしてはあくまで競合的多元性を問うものでありながらも）構成的多元性についての問いを含む問題設定になっている点に注意してほしい。

生活水準の構成的多元性を一元化する捉え方Aと、生活水準の構成的多元性をそのまま多元的に把握する捉え方Bの、どちらがより概念的に適切か

ここで「生活水準の構成的多元性を一元化する捉え方A」とはもちろん、第一には功利主義のことである。というのもよく知られているように、功利主義は人間生活の様々な側面を「効用」に一元化して把握する（効用が増加したか減少したかですべてを判断しようとする）ものだからである。というわけで、レクチャー1では功利主義の問題点を検討していくことになる。第3〜6節で功利主義の三つの解釈のそれぞれについて批判的に検討され、その批判を受けて、より客観的な把握の方向へ進み、生活水準を多元的に把握すること（上でいう「捉え方B」）が適切であり、そのような把握の方法の一つがケイパビリティ・アプローチであることが第7・8節で示唆される、というのがレクチャー1の構成である。

3　支配部分順序と集計

ここでいったん話を区切って、上に論じた「多元性をそのまま多元的に把握する」ということが、いかにして可能となるのかを整理しておこう（これはレクチャー2において重要なポイントとなる）。多元性をそのまま多元的に把握する、ということで求められているのは、様々な要素を一括して、しかし一つの要素に縮減することなく評価する、ということである。ここには非常に大きな問題がある。当たり前のことだが、多数の情報をまとめて比較することはとても難しい。

いささか陳腐な例で恐縮だが、年収五〇〇万円で就労は不安定であるものの健康状態は良好で全体と

表１

	収入	就労状況	健康状態	主観的幸福度
Ａ氏	500万	不安定	良好	高い
Ｂ氏	2000万	安定	不安	低い

して自分は幸福であると思っているイラストレーターＡ氏と、年収二〇〇〇万円で仕事は安定しているが健康状態に不安があり人生を楽しめていないサラリーマンＢ氏を比べるとしよう（表１）。どちらがよりいっそう良い生活を送っているのかは、一見したところでは判断がつかない。様々な情報が錯綜しているからである。

さて、このような多数の情報をまとめて比較する一つの有力な方法がある。細かいことは脇に置いておいて、とにかく「すべての面で優れているならばそちらの方が良い」、と判断することである。仮に上に挙げられた四項目（年収、就労状況、健康状態、主観的幸福度）のすべてにおいてＡ氏がＢ氏より上位にあったとしたならば、Ａ氏の方がより高い生活水準を享受していると判断するのは妥当なことだろう。

さらに、これと基本的には同じ考え方で、挙げられている項目のどれか一つにおいて優れており、かつ他の面ではどれも同等である（つまりどの要素においても劣っているところがない）としても、やはりそちらの方がより良い生活を送っていると問題なく言うことができよう。仮にＡ氏が年収、就労状況、健康においてＢ氏と同じ水準にあり、かつ主観的幸福度のみ上位にあったとすれば、やはりＡ氏の方がより高い生活水準を享受していると判断するのは妥当なことだろう。これが「支配部分順序」という考え方である。

ここで「支配」とは、あらゆる面で劣っていない（劣っているところが一つもない）という意味での優位性を指す言葉であり、また「部分順序」とは、すべての人について順序をつけられるわけではない（比較不可能となるケースもある）、ということを意味している。このやり方は、結局のところ生活水準は厳密にどのように評価されるべきなのか、という極めて困難な問題に解答することなく判断を下すことを可能にするため、たいへん魅力的である。しかしその内容から明らかなように、利用できる場面が限られている。複数の項目の間でたった一つでも上下が逆転してしまえば、もう比較をすることはできなくなってしまうからである。そしてすでにお気付きのことと思うが、上に挙げたイラストレーターA氏とサラリーマンB氏の生活水準の比較は、支配部分順序では決着をつけることができない（AはBより健康と主観的幸福度において優れているが、BはAより年収および就労状況において優れている）。ではそういう場合にはどうすればよいだろうか。

「そのとき私たちに必要なのは、評価の営為において様々な評価対象が有する相対的な説得力について教えてくれるような比較基準である」（本訳書一九頁）と述べられるように、多数の情報をまとめて処理する上で有力な二つ目の方法が、それぞれの要素の相対的な重要性を考慮しつつ「集計」する、というものである。すなわち、各要素に重み付け（重要度に応じた配点の傾斜）をした上でそれぞれを評価し、その値を合計するという方法である。

A氏とB氏の比較においては四つの項目があるが、それぞれについて、良好なら1点、そうでないなら0点とし（年収については年収一〇〇〇万を閾値としてその上か下かで判断）、また主観的幸福度はとりわけ重要なので重み付けを二倍にする、という集計方法を取ると仮定しよう。このとき、

A氏の生活水準：収入0点＋就労0点＋健康1点＋幸福度1点×2＝合計3点
B氏の生活水準：収入1点＋就労1点＋健康0点＋幸福度0点×2＝合計2点

となり、A氏の方が高い生活水準にあると結論できる。これが集計というやり方である。

しかしこの集計という手法にもまた大きな課題がある。この手法を実行するためには、項目ごとの相

対的な重要性をはっきりと決定しなければならないが、そのこと自体が極めて論争的である。上に挙げた例でいえば、四つの指標について、私たちは0か1かではなく、もっと細かい評価をつけるべきかもしれない（たとえば就労状況について、失業していることを0点、不安定就労を1点、安定した雇用状況を2点、安定しておりかつ柔軟性のある雇用状況を3点としてもよい）。また、それぞれの項目の間の重要度の大小にも、他のやり方がありうる。主観的幸福度だけが二倍の重み付けを与えられていることは、恣意的であると批判されうるだろう（センも指摘しているように、私たちはどんなに苦しい状況でも幸せを見出しうるのだとすれば、主観的幸福度よりもむしろ就労状況や健康状態のほうに大きな重み付けをするべきかもしれない）。集計という方法を用いる際には、評価対象の相対的な重み付けをめぐって、非常に複雑な判断を迫られることになる。そしてこれはまさに、生活水準は厳密にどのように評価されるべきなのか、という問いに解答しなければならないということを意味する。

そのような判断を下すことの困難さを考えるならば、再び支配部分順序のアプローチが非常に魅力的に思えてくる。というのも（繰り返しになるが）支配部分順序は、項目ごとの評価と重み付けについて決定を下すことなしに、生活水準の比較をなすことを可能にするからである。もちろん（これもまた繰り返しになるが）それができる状況は限られているのだが……結局のところ、どちらのやり方も一長一短である。

なお、レクチャー2の第4節において「ウェイトを一定の幅に……限定する」（本訳書五七頁）という提案が出てくるが、これが意味しているのは、上の例に当てはめて言えば次のようなことである。われわれは主観的幸福度が他の要因に比べて正確にどれだけ大きな重要性を有するかについて、決着をつけられないかもしれない（それは二倍の重要性を有するだろうか、それとも三倍か、はたまた一・五倍か……すべての人が納得する答えを出すことは難しいだろう）。しかし、少なくとも他の要因よりも大きな重要性を有する、ということであれば同意できるかもしれない。そして、その同意だけでも様々な判断が可能になる。実際のところ、上記のA氏とB氏の生活水準の集計において、主観的幸福度が他の要因よりも大きな重要性を有する（かつ他の要因は等しい重要性を有する）という判断のみからでも、A氏の方が高い生活水準にあると結論できる。また逆に、主観的幸福度は他の要因よりも小さい重要性を有する（かつ他の要因は等しい重要性を有する）という判断のみで、B氏の方が高い生活水準にあると結論できる。このように、相対的なウェイトを完全に特定せずとも、ある程度の幅をもって特定するだけで、われわれは有益な判断をなすことができるかもしれない。このように、センは完全な特定が困難だからといって判断を諦める必要はないということを二つのレクチャーの中で何度も強調している。

4　レクチャー2の問題設定と構成

レクチャー2では、はじめに、この解説でも最初に示した二つの関心（概念上の関心と実践上の関心）が整理され、それらの関心が相互に対立する要求をなすことが示される。すなわち、概念上の関心に照らせば、（まさにレクチャー1の帰結として導かれたように）情報量は多いほうが望ましいのだが、実践上の関心に照らせば、情報量は少ないほうがよりいっそう使いやすい、という対立関係が指摘される。前者の要求をセンは「関連性（relevance）」への考慮、後者の要求を「利便性（usability）」への考慮と呼ぶ。[2] 項目が複雑かつ多様になっていくことは、わたしたちのそもそもの問題関心を反映しているかどうか（＝私たちが関心を有する他の項目との関連性）という観点からは望ましいが、そうした尺度・概念が十分に使いやすいものかどうか（＝利便性）という観点からは問題がある、ということである。まさに「関連性は私たちに野心的であることを求め、利便性は抑制的であれと説く」（本訳書四四頁）わけである。

先のイラストレーターA氏とサラリーマンB氏の例においては、収入・就労状況・健康状態・主観的幸福度の四つの項目で生活水準を把握した。この時点ですでに、A氏とB氏の生活水準のどちらが良いのかを判断することは非常に難しくなっている。そこで、たとえば就労状況や健康状態は主観的幸福度に反映されているはずだと仮定して（これはそれほど極端な仮定ではないだろう）、収入と主観的幸福度の二つのみからなる指標を用いれば、情報の取得はずっと簡単になり、また集計も容易で様々な用途に利用しやすいものとなる。他方で、そのような指標は私たちの関心の重要な部分を見落としてしまうことになるかもしれない。たとえば、自己を否定して企業に奉仕することが望ましいという規範を押し付けられて内面化してしまい、極端な長時間労働で健康を害するまで働き、高い給与を得て（ただし使う暇はない）主観的には満足している、そのような人の生活水準を高いと判断してしまうことになるかもしれない。利便性を追求することと関連性を追求することは、このようにしてしばしば齟齬をきたすことになる。

さて、このように生活水準の概念をめぐっては「関連性」と「利便性」の対立がある、という指摘を受けて、議論はどのように進むだろうか。素朴に考えれば、両者を適切な形でバランスさせる新しい指標の探究へと進むと予測されるし、さらに言えばそれがセンの擁護するケイパビリティ・アプローチなのだろうと期待するのは読者として自然なことであると思われる。しかし、レクチャー2はそのような形にはなっていない。この点には注意が必要である。レクチャー2の内容を順に追って行っても、関連性と利便性との適切なバランスというものは見えてこない。実は、センの意図は、そもそも別のところにある。

レクチャー2でセンが試みているのは、生活水準の概念を「関連性」の方向へと拡張していくことである。すなわち、生活水準についての標準的な指標は利便性を追求するあまり関連性の把握において不十分であった、というのがセンの問題関心であり、それを修正するために、関連性をめぐる議論が集中的になされるのである。では、関連性の観点から概念を拡張するとはどういうことか。それは、生活水準という概念が有する様々な項目への関連性を省略せずに扱い、情報量を増やしていくということである。[3]

まず第1節において、生活水準の計測に取り組んだ先駆者たちが、（たとえば所得の総計のような）単純で取り扱いやすい指標を生み出すことだけでなく、人々の生活をより適切に記述することにも腐心していたことが示される。ここでセンは、生活水準について情報を拡張していくということはこの概念をめぐる議論の本質的な部分なのだということを示そうとしているのだと言えよう。そしてそれに続く第2～5節では、生活水準という概念の有する多様な面をどのようにして（単一指標へと縮減するのではなく）多様なまま論理的に把握できるかをめぐる様々な議論が展開される。そして第6節では逆に情報量を縮減する試みであるGNPおよびGDPが批判され、最後に第7節でケイパビリティ・アプローチを用いることでいかに多様性それ自体を把握できるかについて示される、という流れになっている。

レクチャー2の議論は、最終的に（ケイパビリティ・アプローチの有効性が示唆されるとは言え）特定の評価方法を強く正当化するようなものにはなっていない。センは、ケイパビリティ・アプローチが他のアプローチ（たとえば効用アプローチやベーシック・ニーズ・アプローチ）よりも決定的に優れていることまでは示していない。センがここで示しているのは、ケイパビリティ・アプローチが他のアプローチよりも、生活水準という概念それ自体の多様性をよりよく把握できる、ということである。

レクチャー1との関連も確認しておこう。一見したところの主題から、レクチャー1では効用アプローチが批判され、レクチャー2ではそれに代わるものとしてケイパビリティ・アプローチが擁護される、という構造を読み取りたくなる誘惑は強いが、それはおそらく誤読である。そもそも効用アプローチかそれともケイパビリティ・アプローチか、という問いは、競合的多元性を問うものにすぎない。センはこの二つのレクチャーで構成的多元性にも注目している（むしろそちらをこそ重視している）のであり、そして構成的多元性をめぐる問いは必然的に、生活水準について「あれかこれか」を問うのではなく、「あれもこれも」取り入れる方法を考えることになるのである。

5　センの他の研究との一貫性

ここで少しばかり本書の議論を離れ、センの他の研究との関係について簡単に指摘しておきたい。上に見てきたような、第一に概念的な適切さを追求し、何より視野を広げることを目指していくセンの態度は、主流派の経済学に対するセンの批判全体に通底するものである。彼が経済学におけるホモ・エコノミクス仮定を批判するのは、それが現実の人間の行動（および人間の合理性）の記述としてあまりに狭すぎるからであるし、経済学における暗黙の功利主義的前提を批判するのも、それが排他的に注目する「効用」が、規範的判断の基礎としては狭すぎるからである（『経済学の再生』一九八七年）。また、社会選択理論に関する主著と言える『集合的選択と社会的厚生』（一九七〇年）は、アローの不可能性定理およびセン自身の提示したリベラル・パラドックスの検討を通じて、社会選択理論においては考慮される情報が少なすぎるということを指摘するものである。

さらには、二〇〇〇年代に出版された政治哲学を論じる一連の著作においても、同様の姿勢がみられる。『アイデンティティと暴力』（二〇〇六年）においてセンは、人々のアイデンティティを単一のものと捉える姿勢が人々の対立と暴力とを促進しているのであり、私たちの有する複数のアイデンティティをそのまま認識すべきだと論じる。さらに彼の政治哲学の集大成とも言える『正義のアイデア』（二〇〇九年）においては、単一の正義の構想による制度設計ではなく、複数の正義の構想の間で合意される「明白な不正義」を除去するプロセスを重視すべきだというアイデアが打ち出される。興味深いことにこの著作では、ケイパビリティ・アプローチについても再考がなされており、その利点は否定されないものの、ケイパビリティ・アプローチでは捉えられない自由を把握することもまた必要であることが論じられ、さらなる情報の拡張が求められることになる。

利便性のためにシンプルさやわかりやすさを求めて、それゆえ狭い思考枠組みを選択するがゆえに、現実の複雑性を捉え損なってしまう、その危険性をセンは長きにわたって指摘し続けてきたと言えるだろう。「なぜ私たちは、厳密なやり方で間違っているほうが良いとし、漠然と正しくあるのを拒否しなければならないのだろうか?」(本訳書六二―六三頁)という問いかけは、生活水準の分析のみならず、センの様々な研究を通底するものだと言える。これはもちろん哲学においては昔から言われてきた論点である(「プロクルステスの寝台」という警句があるように)。しかし、数理モデルを自在に使いこなす一流の経済学者がこのことを改めて強く主張することになった点に、経済学史的にも経済学方法論的にも興味深いものがあるように、訳者には思われる。

6　おわりに

視野を広げることだけを求めてはっきりとした結論を出さず、「進むべき道は長い」(本訳書六九頁)という結びの文句をもってレクチャーを閉じるセンの態度は、ある意味では「逃げ」であるように見えるかもしれない。他人の意見を批判するだけ批判して、自分の見解は不十分なままで終わりにするというのは、ちょっとフェアではないと思われてももっともである。

しかしこのような決着についてもやはり、センの意図を誤解しないように気をつけたい。センが言いたいのは、たとえ暫定的であれ、一つの結論に達することを急いで、現実の人間を無視する(=関連性を手放す)ことになってはならない、ということにあると見るべきだろう。確かに私たちは、現実の人間を、そしてまたそこに成り立つ社会を把握する上で、何かしらの単純化を避けることはできない。しかしだからといって現実の人間に正面からちゃんと向き合うことを、そんな余裕はない、として諦めてしまっては、本末転倒ではないだろうか。実際に社会を良くしていくためには、現実の人間の姿を可能な限り適切に把握していくのでなければならない。現実を見据えて視野を広げることが必要なのである。

その営みは難しい問題について論点を恣意的に捨象せず、人々の実情を丁寧に拾い上げることを求めるものであり、ひどく困難な思考を要求する。しかしそれを回避しようとしてはならない、とセンは考えている。この姿勢こそが、経済学に対して「倫理」と「哲学」を再び導入したとセンが評価される所以であると訳者は考える。センは単に経済学の領域に倫理的な論点を導入したのではない。むしろ問題への取り組み方のレベルにおいて、経済学の試みそれ自体のテクニカルな「狭隘さ」を指摘し、経済学もまた世界の複雑性に正面から向き合うべきだと論じた点にこそ、倫理的・哲学的な意味でのセンの独創性と貢献があるのではないだろうか。

「進むべき道は長い」という言葉は、安易に困難さを消去しない、思考し続けることを諦めないという、センの決意表明と見るべきであろう。そして現実にセンがその後も忍耐強く思考し続けてきたことを、本書の刊行から三〇年余りを経た現代の私たちはとてもよく知っている。その学問的姿勢からも、学ぶべきものがあるに違いない。

注

（1）本解説は訳者のうち玉手が単独で執筆したものであり、文章に対する責任はすべて玉手一人が負うものである。また本文中の「訳者」も玉手一人を指す。

（2）この用語は訳出に苦心した。センはここで、「私たちが生活水準の概念へと関心を抱くことになった動機に応える」（本訳書四四頁）、すなわち、そもそもの問題関心に≪適切に関連している≫という意味でrelevanceという言葉を用いている。このことをふまえて、原則として「関連性」と訳出したが、日本語としての文章の通りやすさを考慮して「適切性」とした箇所もある（レクチャー2の第4・5節など）。

（3）センの関心があくまで「生活水準」の概念的把握を拡張することにあるという点は、序論においてホーソンも強調するところである。

付録　アマルティア・セン邦訳書リスト

＊カテゴリーごと、原著の出版年順に記載する。

1　セン自身の著作および共著作の邦訳書

［1］**志田基与師（監訳）『集合的選択と社会的厚生』勁草書房、二〇〇〇年**

◆*Collective Choice and Social Welfare*, San Francisco: Holden-Day, 1970. の邦訳書。社会選択理論の大学院向けテキストである（専門家の間ではしばしばCCSWと略される）。のちに拡大版が出版され、そちらの邦訳書も近く出版される予定である（▼リスト［18］）。

［2］**杉山武彦（訳）『不平等の経済理論』日本経済新聞社、一九七七年**

◆*On Economic Inequality*, Oxford: Clarendon Press, 1973. の邦訳書。これものちに拡大版が出版され、そちらの邦訳書も出ている（▼リスト［9］）。

［3］**黒崎卓・山崎幸治（訳）『貧困と飢饉』岩波書店、二〇〇〇年　→岩波書店（岩波現代文庫）、二〇一七年**

◆*Poverty and Famines: An essay on Entitlement and Deprivation*, Oxford: Clarendon Press, 1981. の邦訳書。ただし補論（Appendix）は訳出されておらず、その代わりに一九九〇年の講演「飢餓撲滅のための公共行動」が収録されている。のちに文庫化されている。

［4］**大庭健・川本隆史（訳）『合理的な愚か者』勁草書房、一九八九年**

◆*Choice, Welfare and Measurement*, Oxford: Blackwell, 1982. の邦訳書。これまで三冊出ているセンの論文集のうちの一冊目に当たる。ただし抄訳であり、原著に収められている二〇本の論文のうち六本のみ訳出されている。なお、この後すぐセンの二冊目の論文集 *Resources, Value and Development*, Oxford:

Blackwell, 1984. も出版されているが、こちらは未邦訳である。

［5］**鈴村興太郎（訳）『福祉の経済学：財と潜在能力』岩波書店、一九八八年**

◆*Commodities and Capabilities*, Amsterdam: North-Holland, 1985. の邦訳書。ケイパビリティ・アプローチについて体系的に論じられた、専門的ながらコンパクトな著作である。センの「ケイパビリティ」概念は、近年でこそカタカナでそのまま訳出されることが多い（私たちもそうしている）が、日本に紹介された当初は「潜在能力」と訳出されることも多かった。本書と同様のテーマを扱っており、合わせて読むことでいっそう理解が深まるだろう。

［6］**玉手慎太郎・児島博紀（訳）『生活の豊かさをどう捉えるか：生活水準をめぐる経済学と哲学の対話』晃洋書房、二〇二一年**

◆Amartya Sen, John Muellbauer, Ravi Kanbur, Keith Hart, Bernard Williams, *The Standard of Living*, edited by Geoffrey Hawthorn, Cambridge: Cambridge University Press, 1987. の邦訳書。本書のこと。

［7］**徳永澄憲・松本保美・青山治城（訳）『経済学の再生：道徳哲学への回帰』麗澤大学出版会、二〇〇二年　→筑摩書房（ちくま学芸文庫）、二〇一六年（『アマルティア・セン講義　経済学と倫理学』に改題）**

◆*On Ethics and Economics*, Oxford: Blackwell, 1987. の邦訳書。経済学の功利主義的前提を倫理学的観点から批判する、経済学方法論の著作。のちに文庫化されている。

［8］**池本幸生・野上裕生・佐藤仁（訳）『不平等の再検討：潜在能力と自由』岩波書店、一九九九年　→岩波書店（岩波現代文庫）、二〇一八年**

◆*Inequality Reexamined*, Oxford: Clarendon Press, 1992. の邦訳書。自由や平等といった政治哲学のテーマについての理論的分析が展開される。またケイパビリティ・アプローチについても平易な解説がある。のちに文庫化されている。

［9］鈴村興太郎・須賀晃一（訳）『不平等の経済学』東洋経済新報社、二〇〇〇年

◆*On Economic Inequality*, Expanded edition with a substantial annexe by James E. Foster and Amartya Sen, Oxford: Clarendon Press, 1997. の邦訳書。経済的不平等の分析に関する専門書。一九七三年に出版された著作（▼リスト［2］）にジェームズ・フォスターと共同で補論を付し、拡大版としたものである。センの著作のうち、本書およびCCSW（▼リスト［1］＆［18］）の二冊に関しては一定レベルの数学的知識が要請される。

［10］石塚雅彦（訳）『自由と経済開発』日本経済新聞社、二〇〇〇年

◆*Development as Freedom*, New York: Alfred A. Knopf, 1999. の邦訳書。センのこれまでの政治哲学的分析に依拠しながら、経済発展や民主主義に関わる実践的な論点が扱われている。

［11］細見和志（訳）『アイデンティティに先行する理性』関西学院大学出版会、二〇〇三年

◆*Reason before Identity, The Romanes Lecture for 1998*, Oxford: Oxford University Press, 1999. の邦訳書。原著は三一ページしかない非常にコンパクトな本である。この本の議論は後に『アイデンティティと暴力』においてより拡張された形で展開されることになる（▼リスト［14］）。

［12］若松良樹・須賀晃一・後藤玲子（監訳）『合理性と自由』（上下巻）勁草書房、二〇一四年

◆*Rationality and Freedom*, Cambridge MA: Harvard University Press, 2002. の邦訳書。センの三冊目の論文集であり、二一本の専門的論文が収められているが、そのすべてがもれなく訳出されている。センのノーベル経済学賞受賞記念講演も含まれる。

［13］**佐藤宏・栗屋利江（訳）『議論好きなインド人：対話と異端の歴史が紡ぐ多文化世界』明石書店、二〇〇八年**

◆*The Argumentative Indian: Writings on Indian History, Culture and Identity*, London: Allen Lane, 2005. の邦訳書。インドの歴史や文化、そして政治問題について書かれたエッセイをまとめたもの。

［14］**大門毅（監訳）・東郷えりか（訳）『アイデンティティと暴力：運命は幻想である』勁草書房、二〇一一年**

◆*Identity and Violence: The Illusion of Destiny*, New York: W. W. Norton, 2006. の邦訳書。アイデンティティ概念を軸に、現代社会における人々の多様性と衝突の問題が論じられる。決して理論レベルが低いわけではないが、非学術研究者にも問題なく読み通せる文章で書かれている。

［15］**池本幸生（訳）『正義のアイデア』明石書店、二〇一一年**

◆*The Idea of Justice*, Cambridge MA: Harvard University Press, 2009. の邦訳書。ロールズに始まった正義論領域の議論に様々な形で貢献してきたセンの、その政治哲学の集大成とも言える著作である。

［16］**湊一樹（訳）『開発なき成長の限界：現代インドの貧困・格差・社会的分断』明石書店、二〇一五年**

◆*An Uncertain Glory: India and Its Contradictions*, London: Allen Lane, 2013. の邦訳書。この本はジャン・ドレーズ（Jean Drèze）との共著となる。インドの経済発展および民主主義について論じられる。

◆ドレーズとセンの共同研究は長きにわたるものであり、他にも *Hunger and Public Action*（Clarendon Press, 1989）、*India: Economic Development and Social Opportunity*（Oxford University Press, 1995）、および後者の拡大版である *India: Development and Participation*（Oxford University Press, 2002）があるが、いずれも

未邦訳である。

［17］**山形浩生（訳）『インドから考える：子どもたちが微笑む世界へ』NTT出版、二〇一六年**

◆*The Country of First Boys, and other essays*, edited by Antara Dev Sen and Pratik Kanjilal, Oxford: Oxford University Press, 2015. の邦訳書。インドで発行されている『ザ・リトル・マガジン』誌に書かれたものを中心とした、二冊目のエッセイ集である。

［18］**鈴村興太郎・蓼沼宏一・後藤玲子（監訳）、栗林寛幸・坂本徳仁・宮城島要（訳）『集団的選択と社会厚生（拡大版）』勁草書房、近刊**

◆*Collective Choice and Social Welfare*, Expanded edition, New York: Penguin Random House, 2017. の邦訳書。一九七〇年に出版された著作（▼リスト［1］）の拡大版であり、原著で約二〇〇ページにわたる大幅な追記がなされている。近刊予定。

2　日本版オリジナルの本

［19］**大石りら（訳）『貧困の克服：アジア発展の鍵は何か』集英社（集英社新書）、二〇〇二年**

◆センがシンガポール、ニューヨーク、ニューデリー、東京で行った四つの講演を訳出し、そこに訳者の手によるセンの経歴と思想についての解説を添えたもの。

［20］**東郷えりか（著）『人間の安全保障』集英社（集英社新書）、二〇〇六年**

◆「人間の安全保障」をキーワードに、講演原稿から雑誌論文までセンの大小様々な論稿八本を訳出したもの。

［21］加藤幹雄（訳）『グローバリゼーションと人間の安全保障』日本経団連出版、二〇〇九年 →筑摩書房（ちくま学芸文庫）、二〇一七年（『アマルティア・セン講義 グローバリゼーションと人間の安全保障』に改題）

◆センが日本で行った第十三回石坂記念講演、東京大学から名誉博士号を授与された際の記念講演、およびこれに関連する内容の論文を訳出し一冊にまとめたもの。のちに文庫化されている。

3 センが編者として参加した著作の邦訳書

［22］アマルティア・セン&バーナード・ウィリアムズ（編著）、後藤玲子（監訳）『功利主義をのりこえて：経済学と哲学の倫理』ミネルヴァ書房、二〇一九年

◆Amartya Sen & Bernard Williams (eds.), *Utilitarianism and Beyond*, Cambridge: Cambridge University Press, 1982. の邦訳書。功利主義をめぐって経済学者と倫理学者が共同で執筆した学際的な論文集。収録されている一四本の論文すべてが訳出されている。

［23］マーサ・ヌスバウム&アマルティア・セン（編著）、竹友安彦（監修）、水谷めぐみ（訳）『クオリティー・オブ・ライフ：豊かさの本質とは』里文出版、二〇〇六年

◆Martha C. Nussbaum & Amartya Sen (eds.), *The Quality of Life*, Oxford: Clarendon Press, 1993. の邦訳書。原著は国際カンファレンスを元にした大部の論文集であるが、翻訳は抄訳であり、四部構成のうちの第一部（五本の論文とそれぞれへのコメント）のみ訳出されている。

［24］鈴村興太郎・須賀晃一・中村慎助・廣川みどり（監訳）『社会的選択と厚生経済学ハンドブック』丸善株式会社、二〇〇六年

◆Kenneth Arrow, Amartya Sen and Kotaro Suzumura (eds.), *Handbook of Social Choice and Welfare*, Volume 1, Amsterdam: North Holland, 2002. の邦訳書。日本語でハンドブックというと携帯可能な手引書がイメージされるところだが、学問の世界で Handbook といえば当該分野の専門的な内容を網羅した大部の著作を指す。この本もやはり大部であり、内容も研究者向けである。なお、同じ三名が編者となっているVolume 2は二〇一〇年に出版されているが、こちらは未邦訳である。

［25］ジョセフ・E・スティグリッツ、アマルティア・セン、ジャンポール・フィトゥシ（著）、福島清彦（訳）『暮らしの質を測る：経済成長率を超える幸福度指標の提案』一般社団法人金融財政事情研究会、二〇一二年

◆Joseph E. Stiglitz, Amartya Sen, and Jean-Paul Fitoussi, *Mis-measuring Our Lives: Why GDP Doesn't Add Up*, New York: The New Press, 2010. の邦訳書。原著はフランスのサルコジ大統領（当時）が二〇〇八年にスティグリッツ、セン、フィトゥシの三名を中心に立てた委員会の報告書（二〇〇九年発表）から、一般的な読者のために非専門的な部分をまとめた縮約版である。なおクレジット上は三名のみ挙げられているが、執筆には多くの研究者が関わっているため、ここでは共著ではなく編著書のカテゴリーにおいた。

（玉手慎太郎）

訳者あとがき

哲学者シモーヌ・ヴェイユはかつて、「第一級のものは本質的に無名である」と述べた。真理と美について論じるその論考の中で、ヴェイユはとても興味深いたとえを用いている。「計算をしている子どもが計算間違いをすると、その誤りにはその子の人格が刻まれている。もしその子の計算が完璧ならば、その子の人格は計算のどの過程にもあらわれない」（「人格と聖なるもの」今村純子編訳『シモーヌ・ヴェイユ アンソロジー』河出書房、二〇一八年、三二一―三二三頁）。正解（つまり真理）はただ一つである以上、そこに個性は結び付かず、むしろ間違いにこそ個性が見出されるというわけである。

真理や美の問題とは異なるが、翻訳についても同様のことが言えるかもしれない。訳文が優れていれば、訳者の名前が表に出てくることはない。読者は原文に書かれた知見に対して、スムーズにアクセスすることができることになるだろう。しかし訳文が稚拙であり、誤訳などがあったとすれば、そこにはまさに訳者の名前が刻まれてしまう（翻訳書を読んでいて、こんなひどい訳をしたのは誰だ！と憤った経験は恥ずかしながら僕にもある）。もちろん翻訳は正解が一つあるようなものではないだろう。しかしそれでも、第一級の翻訳は無名のものである、と言うことはできるかもしれない。

本書の翻訳にあたって、僕と児島さんは、ただ訳文そのもののために努力をし、自分たちの個性なるものが残らないよう努めた。仕上がった訳文が第一級のものだとは到底思えないが、それでも、原文の真理ならぬ真意をなるべくありのままに取り出すことができていれば、と願わずにはいられない。

自分らしさなど排するべきだとするならば、もはや「訳者あとがき」などという個人的なものは不要かもしれない、とも思うのであるが、それでもここに書き残しておくべきことがあるとすれば、それは本書が完成するにあたってお世話になった人々への謝辞であろう。

本書の計画が始まったのは二〇一八年の夏であった。この年の春より富山大学に児島さんが赴任したが、富山大学は僕の兄弟子にあたる松山淳さんが教鞭を執る大学でもあった。そこで僕は（おせっかいにも）お二人を引き合わせるつもりで研究会を企画した。お二人とも快く応じてくださった。

この研究会で僕は、本書のセンのレクチャー原稿の仮訳を提出し、いくつかの論点について報告を行ったのだが、議論はたいへん盛り上がった。ついでながら研究会の後には松山さんの車で海辺をドライブし、三人でおいしい海鮮丼を食べることもできた。すっかり気をよくした僕は前のめりになって、以前からやりとりのあった晃洋書房編集部の山本博子さんに本書の翻訳出版を打診した。山本さんは二つ返事で承諾してくださり、僕と児島さんの二名の共訳という形でプロジェクトがスタートした。

松山さんは翻訳プロジェクトへの参加は辞退されたが、以降も機会あるたびに本書について応援してくださり、またミュールバウアーのコメント部分の訳文全体について、非常に詳細なコメントをくださった。心からの感謝を申し上げたい。

同様に、僕と児島さんの共通の友人である、東京大学の栗林寛幸さんにもこの場を借りて感謝したい。栗林さんはこれまでに学術書の翻訳をいくつも世に出されている翻訳の達人であるが、今回、センの二つのレクチャーの訳文について、非常に詳細にチェックしてくださった。加えて、大学院生の頃からの僕の友人である同志社大学の笠井高人さんには、ポランニーに関する訳注について相談に乗ってくださったことを感謝したい。最後に、素晴らしい帯文を寄せてくださった慶應義塾大学の坂井豊貴先生に、心からお礼申し上げたいと思う。

多くの助けがあってこうして完成に至ることができたが、残された瑕疵はもちろん訳者二人に帰せられるものである。正直に白状すれば、訳者二人とも哲学系の領域を専門としているため、数学的に高度な議論が展開されていたミュールバウアーのコメントの訳出には特に大きな困難があった。その部分はもちろんのこと、本書全体に関して、読者諸氏からの批判は誠実に受け止めていく所存である。

翻訳作業は二〇一九年まではおおよそ順調に進んでいたが、二〇二〇年に生じた新型コロナウイルス危機により、大幅な作業の遅延を余儀なくされた。編集担当の山本さんは、そのような状況の中、たいへん穏やかな心配りで、まず生活を第一にとおっしゃってくださった。その後も思うように進まないプロジェクトを見守りまた支えてくださったことに、心から感謝したい。

考えてみれば、学術書の出版において編集者の名前はほとんど表に出てこない。訳者の痕跡云々などと考える以前に、編集者はいかに貢献しようとも姿を見ることはなく、無名の存在である。しかし、そういった人の堅実な仕事があるからこそ、本の出版が可能となるのである。

研究者の間ではしばしば、翻訳は「労多くして功少なし」と言われることがある。これは、確かに研究評価（ひいては昨今流行の業績評価）の観点からすればその通りなのかもしれない。しかし、たとえ訳者の評価を高めないとしても、翻訳そのものの社会的価値は決して低くないはずである（本書にもある通り、どう評価するかが大事なのだ）。この翻訳を通じて、誰かの研究の、あるいは誰かの人生の、無名のサポーターとなることができれば、それはやはり、とても嬉しいことだと思う。

訳者を代表して
玉手　慎太郎

人名索引

〈ハ　行〉

〈マ　行〉

〈ラ　行〉

事項索引

〈ナ・ハ行〉

〈ヤ・ラ行〉

参照文献一覧

Adelman, I. and Morris, C. T. (1973) *Economic Growth and Social Equity in Developing Countries*, Stanford: Stanford University Press.

Akerlof, G. (1983) "Loyalty filters," *American Economic Review*, 73.

Allardt, S. (1981) "Experiences from the comparative Scandinavian welfare study, with a bibliography of the project," *European Journal of Political Research*, 9.

Arrow, K. J. (1963) *Social Choice and Individual Values*, New York: Wiley. [長名寛明(訳)『社会的選択と個人的評価』勁草書房、2013年(第三版の訳)。]

Arrow, K. J. (1971) *Essays in the Theory of Risk Bearing*, Amsterdam: North-Holland.

Ashton, B., Hill, K., Piazza, A. and Zeitz, R. (1984) "Famine in China, 1958-61," *Population and Development Review*, 10.

Barten, A. (1964) "Family composition prices and expenditure patterns," in *Econometric Analysis for National Economic Planning*, ed. P. E. Hart, G. Mills and J. K. Whitaker. London: Butterworth.

Basu, K. (1979) *Revealed Preference of the Government*, Cambridge: Cambridge University Press.

Bauer, P. T. (1954) *West African Trade*, Cambridge: Cambridge University Press.

Becker, G. S. (1965) "A theory of the allocation of time," *Economic Journal*, 75.

Becker, G. S. (1976) *The Economic Approach to Human Behaviour*, Chicago: University of Chicago Press.

Becker, G. S. (1981) *A Treatise on the Family*, Cambridge MA: Harvard University Press.

Beckerman, W. and Clark, S. (1982) *Poverty and Social Security in Britain since 1961*, Oxford: Clarendon Press.

Bentham, J. (1970 [1789]) *An Introduction to the Principles of Morals and Legislation*, ed. J. H. Burns and H. L. A. Hart. London: Athlone Press. [山下重一(訳)「道徳および立法の諸原理序説」関嘉彦(責任編集)『世界の名著38 ベンサム J. S. ミル』中央公論社、1967年、所収(抄訳)。]

Blackorby, C. (1975) "Degrees of cardinality and aggregate partial ordering," *Econometrica*, 43.

Bohannan, P. and Dalton, G. (eds.) (1962) *Markets in Africa*, Evanston: Northwestern University Press.

Broome. J. (1978) "Choice and value in economics," *Oxford Economic Papers*, 30.

Broome, J. (1984) "Uncertainty and fairness," *Economic Journal*, 94.

Cantril, H. (1965) *The Pattern of Human Concerns*, New Brunswick NJ: Rutgers University Press.

Chichilnisky, G. (1980) "Basic needs and global models: resources, trade and distribution," *Alternatives*, 6.

Cipolla, C. (1978) *The Economic History of World Population*, Harmondsworth: Penguin.

Cleave, J. (1974) *African Farmers: Labour Use in the Development of Smallholder Agriculture*, New York: Praeger.

Comité d'Information Sahel (1975) *Qui se nourrit de la famine en Afrique? Le dossier politique de la faim au Sahel*, Paris: Maspero.

Cooler, R. and Rappoport, P. (1984) "Were the ordinalists wrong about welfare economics?," *Journal of Economic Literature*, 22.

Copans, J. (ed.) (1975) *Sécheresses et famines du Sahel*, Paris: Maspero.

Costa. P. T. and McCrae, R. R. (1980) "Influence of extroversion and neuroticism on subjective well-being: happy and unhappy people," *Journal of Personality and Social Psychology*, 38.

Dalby, D. and Church, R. J. H. (eds.) (1973) *Drought in Africa*, London: School of Oriental and African Studies.

Deane. P. (1969) *The First Industrial Revolution*, Cambridge: Cambridge University Press.

Deaton, A. (1981) *Three Essays on a Sri Lanka Household Survey*, Living Standards Measurement Study Working Paper no. 11. Washington DC: World Bank.

Deaton, A. and Muellbauer, J. (1980) *Economics and Consumer Behaviour*, Cambridge: Cambridge University Press.

Deaton. A. and Muellbauer, J. (1986) "On measuring child costs with applications to poor countries," *Journal of Political Economy*, 94.

Deaton. A., Ruiz-Castillo, J. and Thomas, D. (1985) "The influence of household composition on household expenditure patterns: theory and Spanish evidence," Princeton University, Research Program in Development Studies, Discussion Paper, 122.

Diamond, P. A. (1967) "Cardinal welfare, individualist ethics, and interpersonal comparisons of utility," *Journal of Political Economy*, 59.

Dobb. M. (1973) *Theories of Value and Distribution since Adam Smith*, Cambridge: Cambridge University Press. [岸本重陳（訳）『価値と分配の理論』新評論、1976年。]

Dworkin, R. (1980) "Is wealth a value?," *Journal of Legal Studies*, 9.

Easterlin, R. A. (1974) "Does economic growth improve the human lot?," in *Nations and Households in Economic Growth*, ed. P. A. David and M. W. Reder. New York: Academic Press.

Elster, J. (1983) *Sour Grapes*, Cambridge: Cambridge University Press. [玉手慎太郎（訳）『酸っぱい葡萄――合理性の転覆について』勁草書房、2018年。]

Engel, E. (1895) „Die Lebenskosten belgischer Arbeiterfamilien früher und jetzt," *International Statistical Institute Bulletin*, 9.

Engels, F. (1969 [1892]) *The Condition of the Working Class in England*, London: Panther.

［浜林正夫（訳）『イギリスにおける労働者階級の状態』（全二冊）、新日本出版社、2000年。］

Erikson, R., Hansen, E. J., Ringen, S. and Uusitalo, H.（1984）*The Scandinavian Way: the Welfare States and Welfare Research*, Mimeo.

Fiegehen, G. C., Lansley, P. S. and Smith, A. D.（1977）*Poverty and Progress in Britain, 1953-73*, Cambridge: Cambridge University Press.

Fine, B.（1975）"A note on 'Interpersonal comparisons and partial comparability'," *Econometrica*, 43.

Floud, R.（1984）"Measuring the Transformation of the European Economies," Discussion Paper no. 33. London: Centre for Economic Policy Research.

Floud, R. and Wachter, K. W.（1982）"Poverty and physical stature: evidence on the standard of living in London boys, 1770-1870," *Social Science History*, 6.

Fogel, R. W., Engerman, S. L. and Trussell, J.（1982）"Exploring the uses of data on height: the analysis of long-term trends in nutrition, labour welfare and labour productivity," *Social Science History*, 6.

Foster, J.（1974）*Class Struggle and the Industrial Revolution*, London: Weidenfeld and Nicolson.

Foucault, M.（1977）*Discipline and Punish: The Birth of the Prison*, London: Alien Lane.［田村俶（訳）『監獄の誕生――監視と処罰』新潮社、2020年（新装版）。］

Frankel, S. H.（1953）*The Economic Impact on Underdeveloped Societies*, Oxford: Blackwell.

Friedman, M.（1962）*Capitalism and Freedom*, Chicago: University of Chicago Press.［熊谷尚夫・西山千明・白井孝昌（訳）『資本主義と自由』マグロウヒルブック、1975年。］

Galbraith, J. K.（1974）*Economics and the Public Purpose*, London: André Deutsch.［久我豊雄（訳）『経済学と公共目的』ティビーエス・ブリタニカ、1980年。］

Gallais, J.（1972）"Essai sur la situation actuelle des relations entre pasteurs et paysans dans le Sahel ouest-africain," *Etudes*, 36.

Goodin, R. E.（1982）*Political Theory and Public Policy*, Chicago: University of Chicago Press.

Goody, J. R.（1971）*Technology, Tradition and the State in Africa*, London: Oxford University Press.

Gopalan, C.（1984）*Nutrition and Health Care: Problems and Policies*, New Delhi: Nutrition Foundation of India.

Gorman, W. M.（1956）"The demand for related goods," *Journal Paper J3119*. Ames IO: Iowa Experimental Station.

Gorman, W. M.（1980［1956］）"A possible procedure for analysing quality differentials in the egg market," *Review of Economic Studies*, 47.

Gosling, J. C. B. and Taylor, C. C. W.（1982）*The Greeks on Pleasure*, Oxford: Clarendon

Press.

Grant, J. P. (1978) *Disparity Reduction Rates in Social Indicators*, Washington DC: Overseas Development Council.

Griffin, J. (1982) "Modern utilitarianism," *Revue internationale de philosophie*, 36.

Gugler, J. and Flanagan, W. (1978) *Urbanisation and Social Change in West Africa*, Cambridge: Cambridge University Press.

Hare, R. M. (1981) *Moral Thinking: Its Level, Method and Point*, Oxford: Clarendon Press. [内井惣七・山内友三郎（監訳）『道徳的に考えること——レベル・方法・要点』勁草書房、1994年。]

Harsanyi, J. C. (1955) "Cardinal welfare, individualistic ethics, and interpersonal comparisons of utility," *Journal of Political Economy*, 63.

Hart, K. (1973) "Informal income opportunities and urban enployment in Ghana," *Journal of Modern African Studies*, 11.

Hart, K. (1982a) *The Political Economy of West African Agriculture*, Cambridge: Cambridge University Press.

Hart, K. (1982b) "On commoditization," in *From Craft to Industry*, ed. E. Goody. Cambridge: Cambridge University Press.

Hart, K. and Sperling, L. (1983) "Economic categories and anthropological analysis: labour in an East African herding society," Manuscript.

Hartwell, R. M. (1961) "The rising standard of living in England, 1800–1850," *Economic History Review*, 14.

Hartwell, R. M. and Engerman, S. (1975) "Models of immiserisation: the theoretical basis of pessimism," in *The Standard of Living in Britain in the Industrial Revolution*, ed. A. J. Taylor. London: Methuen.

Hartwell, R. M. and Hobsbawm, E. J. (1963) [Exchange] *Economic History Review*, 16.

Henderson, A. M. (1949) "The cost of a family," *Review of Economic Studies*, 17.

Henderson, W. O. (1969) *The Lancashire Cotton Famine, 1861–65*, Manchester: Manchester University Press.

Henry, S. (1978) *The Hidden Economy: The Context and Control of Borderline Crime*, London: Martin Robertson.

Hicks, J. R. (1971 [1942]) *The Social Framework*, Oxford: Clarendon Press.

Hicks, J. R. (1981) "A manifesto," in *Wealth and Welfare: Collected Essays in Economic Theory*, Vol. 1. Oxford: Blackwell.

Hill, P. (1963) *Migrant Cocoa Farmers of Southern Ghana*, Cambridge: Cambridge University Press.

Hirschman, A. O. (1982) *Shifting Involvements*, Princeton: Princeton University Press. [佐々木毅・杉田敦（訳）『失望と参画の現象学——私的利益と公的行為』法政大学出版局、1988年。]

Ho, T. J. (1982) *Measuring Health as a Component of Living Standards*, Living Standards Measurement Study Working Paper no. 15. Washington DC: World Bank.

Hobsbawm, E. J. (1957) "The British standard of living, 1790–1850," *Economic History Review*, 10.

Hobsbawm, E. J. (1968) "Poverty," in *Encyclopedia of the Social Sciences*, New York: Collier-Macmillan.

Hollis, M. (1981) "Economic man and the Original Sin," *Political Studies*, 29.

Hull, C. H. (1899) *The Economic Writings of Sir William Petty*, Vol. 1, Cambridge: Cambridge University Press.

James, S. (1984) *The Content of Social Explanation*, Cambridge: Cambridge University Press.

Kanbur, S. M. R. (1979) "Of risk taking and personal distribution of income," *Journal of Political Economy*, 91.

Kapteyn, A. and Alessie, R. (1985) "Habit formation and interdependent preferences in the Almost Ideal Demand System," Mimeo, Tilburg University.

Kapteyn, A. and van Praag, B. (1976) "A new approach to the construction of family equivalence scales," *European Economic Review*, 7.

Keynes, J. M. (1936) *The General Theory of Employment, Interest and Money*, London: Macmillan. [塩野谷祐一（訳）『雇用・利子および貨幣の一般理論』東洋経済新報社、1995年。]

Khazanov, A. M. (1984) *Nomads and the Outside World*, Cambridge: Cambridge University Press.

Kravis, I. B., Heston, A. W. and Summers, R. (1978) *International Comparisons of Real Product and Purchasing Power*, Baltimore: Johns Hopkins University Press.

Kuznets, S. (1966) *Modern Economic Growth*, New Haven: Yale University Press. [塩野谷祐一（訳）『近代経済成長の分析』（全二冊）、東洋経済新報社、1968年。]

Kynch, J. and Sen, A. (1983) "Indian women: well-being and survival," *Cambridge Journal of Economics*, 7.

Lancaster, K. J. (1966) "A new approach to consumer theory," *Journal of Political Economy*, 74.

Luxemburg, R. (1951 [1913]) *The Accumulation of Capital*, London: Routledge and Kegan Paul. [小林勝（訳）『資本蓄積論』（全三冊）、御茶の水書房、2011・2013・2017年。]

Machina, M. J. (1982) "Expected utility analysis without the independence axiom," *Econometrica*, 50.

Mack, J. and Lansley, S. (1985) *Poor Britain*, London: Allen and Unwin.

McKeown, T. (1976) *The Modern Rise of Population*, London: Arnold.

McMurrin, S. M. (ed.) (1986) *The Tanner Lectures on Human Values, VII*, Salt Lake City: University of Utah Press; Cambridge: Cambridge University Press.

McNeill, W. (1976) *Plagues and Peoples*, New York: Doubleday.

McPherson, M. S. (1982) "Mill's moral theory and the problem of preference change," *Ethics*, 92.

Majumdar, T. (1980) "The rationality of changing choice," *Analyse und Kritik*, 2.

Marshall, A. (1949 [1890]) *The Principles of Economics*, London: Macmillan. [永沢越郎（訳）『経済学原理』（全四冊）、岩波ブックセンター信山社、1985年。]

Marx, K. (1887) *Capital: A Critical Analysis of Capitalist Production*, London: Sonnenschein. [向坂逸郎（訳）『資本論』（全九冊）、岩波書店（岩波文庫）、1969–1970年。]

Marx, K. and Engels, F. (1947 [1846]) *The German Ideology*, New York: International Publishers. [服部文男（監訳）『ドイツ・イデオロギー』新日本出版社、1996年。]

Meade, J. E. and Stone, R. (1957 [1944]) *National Income and Expenditure*, London: Bowes and Bowes. [（訳者不明）『国民所得と支出』経済審議庁調査部国民所得課、1954年（第三版の訳）。]

Michael, R. and Becker, G. S. (1973) "On the new theory of consumer behavior," *Swedish Journal of Economics*, 75.

Minge-Klevana, W. (1980) "Does labour time decrease with industrialisation? A survey of time-allocation studies," *Current Anthropology*, 21.

Morris, M. D. (1979) *Measuring the Conditions of the World's Poor: The Physical Quality of Life Index*, Oxford: Pergamon.

Muellbauer, J. (1974a) "Household composition, Engel curves, and welfare comparisons between households: a duality approach," *European Economic Review*, 5.

Muellbauer, J. (1974b) "Household production theory, quality and the 'hedonic technique'," *American Economic Review*, 64.

Muellbauer, J. (1975) "Aggregation, income distribution and consumer demand," *Review of Economic Studies*, 62.

Muellbauer. J. and Pashardes, P. (1982) "Tests of dynamic specification and homogeneity in demand systems," Discussion Paper, Birkbeck College, London.

Mukerji, V. (1965) "Two papers on time in economics," *Artha Vijñana*, 7.

Nagel, T. (1970) *The Possibility of Altruism*, Oxford: Clarendon Press. [蔵田伸雄（監訳）『利他主義の可能性』勁草書房、近刊。]

Nicholson, J. L. (1949) "Variations in working-class family expenditure," *Journal of the Royal Statistical Society*, Series A, 112.

Nussbaum, M. C. (1983–1984) "Plato on commensurability and desire," *Proceedings of the Aristotelian Society*, 83.

Nussbaum, M. C. (1985) *Fragility of Goodness: Luck and Ethics in Greek Tragedy and Philosophy*, Cambridge: Cambridge University Press.

Oakley, A. (1974) *The Sociology of Housework*, London: Martin Robertson.

Pattainaik, P. K. (1980) "A note on the 'rationality of becoming' and revealed preference," *Analyse und Kritik*, 2.

Phlips, L. (1983 [1974]) *Applied Consumption Analysis*, Amsterdam: North-Holland.

Pigou, A. C. (1952 [1920]) *The Economics of Welfare*, London: Macmillan. [気賀健三（訳者代表）『厚生経済学』（全四冊）東洋経済新報社、1953-1955年。]

Polanyi, K. (1944) *The Great Transformation*, Boston: Beacon. [野口健彦・栖原学（訳）『大転換』東洋経済新報社、2009年。]

Pollak. R. and Wachter, M. (1975) "The relevance of the household production function and its implications for the allocation of time," *Journal of Political Economy*, 83.

Posner, R. (1972) *Economic Analysis of Law*, Boston: Little Brown.

Ramsey, F. (1926) "Truth and probability," in *Foundations: Essays in Philosophy, Logic, Mathematics and Economics*. London: Routledge and Kegan Paul, 1978. [伊藤邦武（訳）「真理と確率」伊藤邦武・橋本康二（訳）『ラムジー哲学論文集』勁草書房、1996年、所収。]

Rawls, J. (1971) *A Theory of Justice*, Cambridge MA: Harvard University Press. [川本隆史・福間聡・神島裕子（訳）『正義論』紀伊國屋書店、2010年（改訂版の訳）。]

Robbins, L. (1938) "Interpersonal comparisons of utility," *Economic Journal*, 48.

Rothbarth, E. (1943) "Note on a method of determining equivalent income for families of different composition," in *War-Time Patterns of Saving and Spending*, ed. C. Madge. National Institute of Economic and Social Research, Occasional Paper no. 4. London: Macmillan.

Sahlins, M. (1972) *Stone-Age Economics*, Chicago: Aldine. [山内昶（訳）『石器時代の経済学』法政大学出版局、2012年（新装版）。]

Samuelson, P. A. (1950) "Evaluation of real income," *Oxford Economic Papers*, 2.

Samuelson, P. A. and Swamy, S. (1974) "Invariant economic index numbers and canonical duality: survey and synthesis," *American Economic Review*, 64.

Schelling, T. C. (1984) "Self-command in practice, in policy and in a theory of rational choice," *American Economic Review*. 74.

Scitovsky, T. (1976) *The Joyless Economy*, New York: Oxford University Press.

Sen, A. (1970) *Collective Choice and Social Welfare*, San Francisco: Holden Day. (Republished 1979 Amsterdam: North-Holland) [志田基与師（監訳）『集合的選択と社会的評価』勁草書房、2000年。]

Sen, A. (1973) "On the development of basic income indicators to supplement GNP measures," *ECAFE Bulletin*.

Sen, A. (1974) "Choice, orderings and morality," in *Practical Reason*, ed. S. Körner. Oxford: Blackwell. (Reprinted in Sen 1982) [大庭健（訳）「選択・順序・道徳性」大庭健・川本隆史（訳）『合理的な愚か者』勁草書房、1989年、所収。]

Sen, A. (1975) "The concept of efficiency in economics," in *Contemporary Issues in*

Economics, ed. M. Parkin and A. R. Nobay. Manchester: Manchester University Press.

Sen, A.（1976a）"Poverty: an ordinal approach to measurement," *Econometrica*, 45.（Reprinted in Sen 1982）

Sen, A.（1976b）"Real national income," *Review of Economic Studies*, 44.（Reprinted in Sen 1982）

Sen, A.（1977a）"Rational fools: A critique of the behavioural foundations of economic theory," *Philosophy and Public Affairs*, 6.（Reprinted in Sen 1982）［大庭健（訳）「合理的な愚か者――経済理論における行動理論的な基礎への批判」大庭健・川本隆史（訳）『合理的な愚か者』勁草書房、1989年、所収。］

Sen, A.（1977b）"On weights and measures: informational constraints in social welfare analysis," *Econometrica*, 46.（Reprinted in Sen 1982）

Sen, A.（1979a）"Personal utilities and public judgements: or what's wrong with welfare economics? ," *Economic Journal*, 89.（Reprinted in Sen 1982）［川本隆史（訳）「個人の効用と公共の判断――あるいは厚生経済学のどこがまずいのか？」大庭健・川本隆史（訳）『合理的な愚か者』勁草書房、1989年、所収。］

Sen, A.（1979b）"Utilitarianism and welfarism," *Journal of Philosophy*, 76.

Sen, A.（1980-1981）"Plural utility," *Proceedings of the Aristotelian Society*, 80.

Sen, A.（1981）*Poverty and Famines: An Essay on Entitlement and Deprivation*, Oxford: Clarendon Press.［黒崎卓・山崎幸治（訳）『貧困と飢饉』岩波書店（岩波現代文庫）、2017年。］

Sen, A.（1982）*Choice, Welfare and Measurement*, Oxford: Blackwell; Cambridge MA: MIT Press.［大庭健・川本隆史（訳）『合理的な愚か者 経済学＝倫理学探究』勁草書房、1989年（抄訳）。］

Sen, A.（1983a）"Poor, relatively speaking," *Oxford Economic Papers*, 35.（Reprinted in Sen 1984a）

Sen, A.（1983b）"Accounts, actions and values: objectivity of social science," in *Social Theory and Political Practice*, ed. C. Lloyd. Oxford: Clarendon Press.

Sen, A.（1983c）"Liberty and social choice," *Journal of Philosophy*, 80.

Sen, A.（1983d）"Development: Which way now? ," *Economic Journal*, 93.（Reprinted in Sen 1984a）

Sen, A.（1983e）"Economics and the family," *Asian Development Review*, 1.（Reprinted in Sen 1984a）

Sen, A.（1984a）*Resources, Values and Development*, Cambridge MA: Harvard University Press.

Sen, A.（1984b）"The living standard," *Oxford Economic Papers*, 36.

Sen, A.（1984c）"Family and food: sex bias in poverty," in Sen（1984a）.

Sen, A.（1985a）*Commodities and Capabilities*, Amsterdam: North-Holland.［鈴村興太郎（訳）『福祉の経済学――財と潜在能力』岩波書店、1988年。］

Sen, A. (1985b) "Well-being, agency and freedom," *Journal of Philosophy*, 82.

Sen, A. (1985c) "A reply to Professor Peter Townsend," *Oxford Economic Papers*, 37.

Sen, A. and Sengupta, S. (1983) "Malnutrition of rural children and the sex bias," *Economic and Political Weekly*, 19.

Shackle, G. L. S. (1965) "Comment on two papers on time in economics," *Artha Vijñana*, 7.

Simon, J. L. (1974) "Interpersonal welfare comparisons can be made - and used for redistribution decisions," *Kyklos*, 27.

Sircar. D. C. (1979) *Aśokan Studies*, Calcutta: Indian Museum.

Smith, A. (1910 [1776]) *An Inquiry into the Nature and Causes of the Wealth of Nations*, London: Everyman. [水田洋（監訳）杉山忠平（訳）『国富論』（全四冊）、岩波書店（岩波文庫）、2000-2001年。]

Spinnewyn, F. (1981) "Rational habit formation," *European Economic Review*, 15.

Stigler, G. J. and Becker, G. S. (1977) "De gustibus non est disputandum," *American Economic Review*, 67.

Stone. J. R. N. and Rowe, D. A. (1958) "Dynamic demand functions: some econometric results," *Economic Journal*, 68.

Streeten. P. and Burki, S. (1978) "Basic needs: some issues," *World Development*, 6.

Streeten, P., Burki, S., ul Haq, M., Hicks, N. and Stewart, F. (1981) *First Things First: Meeting Basic Needs in Developing Countries*, London: Oxford University Press.

Studenski, P. (ed.) (1958) *The Income of Nations*, New York: New York University Press.

Suppes, P. (1966) "Some formal models of grading principles," *Synthese*, 6.

Swift, J. (1977) "Sahelian pastoralists: underdevelopment, desertification and famine," *Annual Review of Anthropology*, 6.

Taylor, C. (1985) "Atomism," in *Philosophy and the Human Sciences: Philosophical Papers*, Vol. 2. Cambridge: Cambridge University Press.

Terleckyj, N. (ed.) (1976) *Household Production and Consumption*, New York: National Bureau of Economic Research.

Thompson, E. P. (1968) *The Making of the English Working Class*, Harmondsworth: Penguin. [市橋秀夫・芳賀健一（訳）『イングランド労働者階級の形成』青弓社、2003年。]

Tilly, L. A. (1983) "Food entitlement, famine and conflict," in *Hunger and History*, ed. R. I. Rotberg and T. K. Rabb. Cambridge: Cambridge University Press.

Tilly, L. and Scott, J. (1978) *Women, Work and Family*, New York: Holt, Rinehart and Winston.

Townsend, P. (1979a) "The development of research on poverty," in Department of Health and Social Security, *Social Security Research: The Definition and Measurement of Poverty*, London: HMSO.

Townsend, P. (1979b) *Poverty in the United Kingdom*, Harmondsworth: Penguin.

Townsend, P.（1985）"A sociological approach to the measurement of poverty: a rejoinder to Professor Amartya Sen," *Oxford Economic Papers*, 37.

Tupling, G. H.（1927）*The Economic History of Rossendale*, Manchester: Manchester University Press.

UNICEF（1984）*An Analysis of the Situation of Children in India*, New Delhi: UNICEF.

Usher, D.（1968）*The Price Mechanism and the Meaning of National Income Statistics*, Oxford: Clarendon Press.

van der Veen, R. J.（1981）"Meta-rankings and collective optimality," *Social Science Information*, 20.

van Herwaarden, F. G., Kapteyn, A. and van Praag, B. M. S.（1977）"Twelve thousand individual welfare functions of income: a comparison of six samples in Belgium and the Netherlands," *European Economic Review*, 9.

van Praag, B. M. S.（1968）*Individual Welfare Functions and Consumer Behaviour*, Amsterdam: North-Holland.

van Praag, B. M. S., Hagenaars, A. J. M. and vanWeeren, H.（1982）"Poverty in Europe," *Journal of Income and Wealth*, 28.

Vickrey, W.（1945）"Measuring marginal utility by reactions to risk," *Econometrica*, 13.

von Tunzelmann, N.（1985）"The standard of living debate and optimal economic growth," in *The Economics of the Industrial Revolution*, ed. J. Mokyr. London: Alien and Unwin.

Weber, M., ed. Roth, G. and Wittich, C.（1978）*Economy and Society*, Berkeley and Los Angeles: University of California Press.［濱嶋朗（訳）『権力と支配』講談社（講談社学術文庫）、2012年（抄訳）。］

Weber, M.（1981［1923］）*General Economic History*, New Brunswick: Transaction.［黒正巌・青山秀夫（訳）『一般社会経済史要論』（全二冊）、岩波書店、1954–1955年。］

Wedderburn, D.（ed.）（1974）*Poverty, Inequality and the Class Structure*, Cambridge: Cambridge University Press.

Wells, J.（1983）"Industrial accumulation and living standards in the long-run: the São Paulo industrial working class, 1930–75," *Journal of Development Studies*, 19.

Williams, B.（1973）"A critique of utilitarianism," in J. J. C. Smart and B. Williams, *Utilitarianism: For and Against*, Cambridge: Cambridge University Press.［坂井昭宏・田村圭一（訳）『功利主義論争』勁草書房、近刊。］

Williams, B.（1981）"Moral luck," in *Moral Luck and Other Essays*, Cambridge: Cambridge University Press.［鶴田尚美（訳）「道徳的な運」伊勢田哲治（監訳）『道徳的な運』勁草書房、2019年、所収。］

Williams, B.（1985）*Ethics and the Limits of Philosophy*, Cambridge MA: Harvard University Press; London: Fontana.［森際康友・下川潔（訳）『生き方について哲学は何が言えるか』筑摩書房（ちくま学芸文庫）、2020年。］

Winston, G. C.（1980）"Addiction and backsliding: a theory of compulsive consumption,"

Journal of Economic Behaviour and Organisation, 1.

World Bank（1983）*World Development Report 1983*, New York: Oxford University Press.

World Bank（1984）*World Development Report 1984*, New York: Oxford University Press.

Yaari, M. E. and Bar-Hillel, M.（1984）"On dividing justly," *Social Choice and Welfare*, 1.

《訳者紹介》

玉手 慎太郎（たまて　しんたろう）

1986年生まれ．学習院大学法学部政治学科教授．東北大学大学院経済学研究科博士課程修了．博士（経済学）．専門は公共哲学および応用倫理学．

主たる研究成果として，「健康をめぐる自己責任論を乗り越えるために——公衆衛生における責任と主体性の再検討」（『社会と倫理』第36号，2021年），「われわれは「明白な不正義」に同意できるか——アマルティア・センのアイデンティティ論の検討から」（田畑真一・玉手慎太郎・山本圭編著『政治において正しいとはどういうことか——ポスト基礎付け主義と規範の行方』勁草書房，2019年所収），アマルティア・セン・バーナード・ウィリアムズ（編著）『功利主義をのりこえて——経済学と哲学の倫理』（共訳，後藤玲子監訳，ミネルヴァ書房，2019年）．

児島 博紀（こじま　ひろのり）

1985年生まれ．富山大学学術研究部教育学系講師．東京大学大学院教育学研究科博士課程満期退学．博士（教育学）．専門は教育哲学および規範倫理学．

主たる研究成果として，「ロールズにおける平等と友愛」（『倫理学年報』第61集，2012年），「ロールズのメリトクラシー批判——機会の平等論の転換に向けて」（『教育学研究』第82巻第1号，2015年），アマルティア・セン・バーナード・ウィリアムズ（編著）『功利主義をのりこえて——経済学と哲学の倫理』（共訳，後藤玲子監訳，ミネルヴァ書房，2019年）．

《著者紹介》

アマルティア・セン（Amartya Sen）

1933年生まれ．インド西部，西ベンガル州シャンティニケタンの出身．1959年にケンブリッジ大学トリニティ・カレッジにて経済学博士号を取得．ジャダプール大学，デリー・スクール・オブ・エコノミクス，ロンドン・スクール・オブ・エコノミクス（LSE），オックスフォード大学，ハーバード大学，ケンブリッジ大学の教授職を歴任．1998年にはアジア人として初のノーベル経済学賞を受賞した．2021年現在，ハーバード大学で引き続き教鞭を執っている．主な著作については本書付録を参照のこと．

ジョン・ミュールバウアー（John Muellbauer）

1944年生まれ．イギリス出身．ウォーリック大学，ロンドン大学バークベック・カレッジでの教職を経て，1981年より現在までオックスフォード大学ナフィールド・カレッジにて教鞭を執る．専門はマクロ経済学および応用経済学．主な著作として *Economics and Consumer Behaviour*（Cambridge University Press, 1980, A. Deaton との共著）．

ラヴィ・カンブール（Ravi Kanbur）

1954 年生まれ．インド出身．オックスフォード大学をはじめとする英米の複数の大学での教職や世界銀行のチーフ・エコノミストなどを経て，1997年より現在までコーネル大学で教授職を務める．専門は開発経済学および公共経済学．邦訳書に『GDP を超える幸福の経済学——社会の進歩を測る』（経済開発機構（OECD）編，西村美由起訳，明石書店，2020年，J. E. スティグリッツらと共著）．

キース・ハート（Keith Hart）

1943年生まれ．イギリス出身．ケンブリッジ大学など多数の大学での教職を経て，現在はロンドン大学ゴールドスミス・カレッジの名誉教授．専門は経済人類学．邦訳書に『経済人類学——人間の経済に向けて』（深田淳太郎・上村淳志訳，水声社，2017年，C. ハンとの共著）．

バーナード・ウィリアムズ（Bernard Williams）

1929年生まれ．イギリス出身．ケンブリッジ大学，カリフォルニア大学バークレー校などで教鞭を執った後，2003年没．専門は哲学および倫理学．邦訳書に『生き方について哲学は何が言えるか』（森際康友・下川潔訳，筑摩書房（ちくま学芸文庫），2020年）など．

《編者紹介》

ジェフリー・ホーソン（Geoffrey Hawthorn）

1941年生まれ．イギリス出身．長年にわたりケンブリッジ大学で教鞭を執った後，2015年没．専門は社会理論および政治理論．主な著作として，*Thucydides on Politics*（Cambridge University Press, 2014）．

生活の豊かさをどう捉えるか

——生活水準をめぐる経済学と哲学の対話——

2021年12月10日　初版第1刷発行
2022年2月25日　初版第2刷発行

＊定価はカバーに表示してあります

編　者　G. ホーソン
著　者　A. セン
J. ミュールバウアー
R. カンブール
K. ハート
B. ウィリアムズ
訳　者　玉手慎太郎
児島博紀
発行者　萩原淳平

発行所　株式会社　晃洋書房
〒615-0026　京都市右京区西院北矢掛町7番地
電話　075(312)0788番(代)
振替口座　01040-6-32280

装幀　野田和浩　　印刷・製本　亜細亜印刷㈱

ISBN 978-4-7710-3541-6